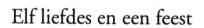

Elf liefdes en een feest

Elf liefdes
en een feest

Ronald Spierenburg

Personen en handelingen van deze vertelling
berusten op fantasie.

Gopher Publishers, www.gopher.nl

Colofon

ISBN: 9051793529
EAN: 9789051793529

1e druk, 2006

© 2006 Ronald Spierenburg

Omslagontwerp: Bart van den Berg
Foto omslag en auteursfoto: Saskia Hoogstraten

Dit boek is uitgegeven in de reeks Mijn Eigen Bruna Boek, door uitgeverij Gopher in samenwerking met Bruna B.V. Exemplaren zijn rechtstreeks te bestellen via Internet: www.bruna.nl en www.gopher.nl, bij iedere boekhandel en rechtstreeks bij:

Gopher B.V.
Postbus 8018
3503 RA Utrecht
Tel.: 030-2905320
Fax: 030-2905310

With a little help from my friends

Lennon & McCartney

Inhoud

1. Kirana

De borsten van mijn moeder hadden niets met seks te maken. Als ik de badkamer binnenkwam, terwijl mijn moeder zich in een gebloemde pyjamabroek waste met een roze-wit gestreept washandje en een stukje zeep, deed zij nooit moeite haar boezem te bedekken. En dat hoefde ook niet. Het stond voor mij als een paal boven water dat dit moederborsten waren en die dienden geen enkel ander doel dan melk geven.

Hoe vaak heb ik van mijn vader moeten aanhoren dat mijn moeder zelfs doorging met voeden als ze kloven of ontstoken borsten had. Tepel heeft mijn vader nooit in de mond genomen. Wel trots, ik moest tróts zijn op de borsten van de heilige maagd mama, al heb ik nooit begrepen hoe dat moest: trots zijn op je moeders borsten. Waar ik niet over twijfelde was dat de buste van mijn moeder het achtste wereldwonder was.

De borsten van mijn grote zus waren een stuk frivoler. Ze boezemden geen heilig ontzag in, maar hadden een vreemde aantrekkingskracht. Als klein knulletje van een jaar of zes kneep ik er wel eens in en zei dan olijk: 'Pèp, pèp'. Dat was een leuk spelletje, vooral omdat ik mijn zus op deze manier in verlegenheid kon brengen. Het was geweldig dat ik Hannah kon laten blozen, al was ze twaalf jaar ouder. Maar ook deze boezem deed mij niet branden van verlangen. Ik voelde niets anders dan de harde stof van de bh die een beetje indeukte.

9

In de vijfde klas, ik was bijna elf jaar, werd me duidelijk dat borsten wel iets met seks te maken hadden. Maar niet die van je moeder of je zus. Van klasgenoot Willem kreeg ik 'De lach', een tijdschrift met foto's van blote vrouwen. Niet helemaal naakt, maar wel van boven. De vrouwen lieten mij lief lachend hun tieten zien.

Willem vertelde dat je een lekker gevoel kreeg als je je stijve piemel op en neer trok, terwijl je naar zo'n foto keek. Dat probeerde ik in bed direct uit. De tinteling in mijn buik viel niet te beschrijven en was vooral verwarrend. Hoe kon zoiets lekkers je tegelijkertijd zo een eenzaam gevoel geven? Daar had Willem niets over gezegd. En ik durfde er niet naar te vragen.

Willem was niet aardig, wel superstoer. Hij durfde alles en zag er goed uit. Ribbroeken en ribjackies met halflange blonde krullen erboven. Daaronder droeg hij bruinsuède *Clarks*, bordeelsluipers volgens mijn vader. Ik wilde er net zo uitzien als Willem, maar moest in grijze broeken met een geperste vouw en een suf truitje lopen. Om nog maar te zwijgen van mijn korte haar en keurig nette *Bally's*. De kapper kwam aan huis, zodat moeder het goed in de gaten kon houden. Geen haar tegen de oren en van achteren opgeschoren. 'Lekker vol, net als de Engelse prinsjes' noemde ze dat. Mijn moeder deed er alles aan om me voor gek te zetten. Als ik nu het geluid van een schaar hoor en de geur van versgeknipt haar ruik, lopen de rillingen me nog over de rug.

Willem was blijven zitten. We scheelden een jaar, het konden er ook tien zijn. De eerste dag van het nieuwe schooljaar had Willem een foto meegenomen. Hij stond temidden van een groepje jongens. Opgewonden gefluister trok mijn aandacht.

10

'Jezus, want een snee,' klonk een hoog stemmetje van een jochie uit de vierde.

'Die heb jij zeker nooit van dichtbij gezien, ukkepuk?' pestte een grote jongen uit de zesde.

'Doe niet zo stom,' zei Willem tegen de pester, 'Meer dan die van je zus heb jij ook niet gezien.'

Na wat onopvallend duw- en trekwerk kon ik zien waar Willem zoveel interesse mee wekte. Het duurde even voordat ik het goed zag. In eerste instantie dacht ik dat het een kop met kroeshaar was waar een flinke wond overheen liep. Vanwaar zoveel likkebaardende nieuwsgierigheid voor een glibberige wond? Langzaam drong het tot mij door dat ook ik voor dit Grote Geheim een enorme belangstelling moest hebben. Ik vond er niets aan, dus zou ik gaan doen alsof.

Is dit nou "het"? vroeg ik me af. Het leek me stom om die vraag ook daadwerkelijk te stellen. Ik zag die jongens mij al weghonen. Wel deed ik sinds die eerste schooldag voortdurend mijn best om door Willem gezien te worden. Ik ging net als Willem roken. Hij bood me zelfs een peuk aan. Ik groeide: hij had het opgemerkt. Maar niet alleen hij. Samen werden we in de pauze betrapt. De meester tierde onaangenaam verrast: 'Allemachtig Michiel, jíj ook?' Hij had zijn neus in de mond van Willem gestoken, niet in die van mij. Het was Willem die me verlinkte. Dat moest hij van zijn moeder hebben. Hij had eens plompverloren in de klas verteld dat zij het tijdens de oorlog met een mof had gedaan. Als reactie kreeg hij van klas en meester een pijnlijk stilzwijgen. Willem was heel triomfantelijk blijven kijken.

'Roken? Kinderen zijn jullie. Zijn jullie nou helemaal betoeterd! Ik stuur vandaag nog een brief naar jullie ouders. En jij was verdorie wel de laatste van wie ik dit verwachtte, Michiel.'

11

De onderwijzer keek mij dreigend aan. Ik was vooral opgelucht dat die brief op zijn vroegst pas de volgende dag zou aankomen.

Een week mocht ik niet meer buiten spelen. En dat was een milde straf dankzij een leugentje. Ik had mijn ouders wijsgemaakt dat ik het alleen een keer wilde proberen en dat ik het heel vies vond.

Direct de eerste dag dat ik het ouderlijke huis weer kon ontvluchten mocht ik van de blonde god mee op een sluiptocht. De openbare weg was verboden terrein. Anderhalf uur lang liepen we door tuintjes en gangetjes en klommen we over hekken, schuttingen en schuurtjes. Het was extra spannend als we achterna werden gezeten door een hond of een boze bewoner. Toen het donker werd waren we net aangekomen op een begraafplaats. Ik dacht hiermee het hoogtepunt wel bereikt te hebben, maar de spanning liep nog verder op. Aan de rand van het griezelpark stond een muur.

'Hierboven is het dak van de garages,' zei Willem.

'W-wat is daar dan?' Ik was bang dat Willem het trillertje in mijn stem had gehoord en zei daarom gauw: 'Koud, hè?'.

Willem schoof zijn vingers in elkaar.

'Kom op, schijterd, een voet in mijn handen en de andere op een schouder.' Wat is hij sterk en stoer, keek ik tegen hem op en voerde gehoorzaam het bevel uit. Sprakeloos keek ik naar zeker vijftien jongens, die muisstil en plat op hun buik lagen. Een oudere jongen fluisterschreeuwde naar ons.

'Stil, ze komt zo!'

Ik lag nog maar net tussen de anderen, toen achter een raam opeens het licht aanging. Een gestalte liet een badjas van de schouders glijden. Het naakte lichaam werd zichtbaar. Ze was ver weg; toch was met mijn door 'De lach' gesteunde fantasie onmiskenbaar iets van borsten en zelfs schaamhaar te zien. Lang gluren kon ik niet, want plotseling krijste een heks vanuit de tuin onder ons.

'Stelletje viespeuken, scheer je weg!' Ze priemde dreigend haar bezem in de lucht.

'Daar heb je dat kutwijf weer.' Willem gaf me een por, waardoor ik uit mijn verdoving ontwaakte. 'Wegwezen!'

Als lemmingen stortten we ons van het dak en stoven we in alle richtingen over de begraafplaats. De maan liet de grafstenen baden in een spookachtig licht. Ik was vooral blij dat ik eindelijk de kou en de zenuwen uit mijn lijf kon rennen. Ik vond mijn broeder in het kwaad bij een hoog hek en klom zo snel mogelijk over de scherpe spicsen. Terwijl we weer over de stoep liepen passeerde een politieauto, op zoek naar een stel oversekste schooiertjes. De auto stopte niet. Ik haalde opgelucht adem, zo zacht dat Willem het niet hoorde. Ik kon niet stoppen met praten, ik gloeide van opwinding en rilde van de kou.

'Hou je kop, man. Doe niet zo achterlijk, anders neem ik je morgen niet mee naar "Club '69".'

En ik hield mijn kop en liet me kleineren, want eindelijk had hij gezegd waar ik niet over durfde te beginnen: Club '69. Daar werd op het schoolplein over gefluisterd, maar geen leerling had mij kunnen vertellen wat het precies betekende. Ik was er van overtuigd dat de club iets met "het" te maken had.

Na escapades als bij de begraafplaats was ik altijd bang dat mijn moeder zou vragen waar ik geweest was. Of nog erger, dat ze mijn antwoord niet geloofde. Schuld en schaamte kende ik in die tijd al goed van de keer dat ik met mijn moeder bij een vriendin van haar op bezoek ging en met het Grote Geheim in aanraking kwam. Ik had op zolder met het zoontje van die vriendin en een buurmeisje doktertje gespeeld.

13

De patiënte bleek geen piemeltje te hebben en liet ons artsen in totale verbijstering achter.

's Avonds kwam mijn moeder op de rand van mijn bed zitten en vroeg wat we die middag boven hadden gedaan. Dat ze met 'niks, mam' geen genoegen zou nemen, was duidelijk. Mijn hoofd stroomde vol. Het kwam niet in me op van deze gelegenheid gebruik te maken en een voorzichtig verzoek om seksuele voorlichting te doen. Ik had nog nooit gehoord van ouders die strikt geheime zaken openbaarden. Stotterend biechtte ik het spelletje aan mama op. De teleurgestelde, stilzwijgende blik maakte meer indruk dan het meisje zonder piemel.

De clubeigenaar woonde met zijn moeder in een galerijflat. Ik had die moeder nog nooit gezien, maar de gezichtsuitdrukking van de meester maakte genoeg duidelijk: 'zij is een a-sociaal'. De pedagoog had Willem zelfs eens naar huis gestuurd met de boodschap eerst zijn 'gore, lange haar' te laten knippen voor hij weer binnen mocht komen.

Bij iedere flat hoorde een opslagplaats in de kelder. In zo'n hok had Willem "Club '69" opgericht. Het was immers 1969. De bedompte ruimte stond vol met oude stoelen, een tafel, blikken verf, veel dozen, maar vooral met ondefinieerbare troep. De vloer lag bezaaid met rommel: dopjes, Lego-steentjes, een pen en veel peuken. Affiches van Elvis Presley en Golden Earring gaven het gevoel dat Willem's moeder niet ver weg kon zijn, maar ze bemoeide zich nergens mee. Op het plafond zaten smerige lekkagevlekken die nauwelijks zichtbaar waren door een visnet dat er onder hing. In het net lagen groene flessen en lappen stof. De tl-verlichting was zo goed afgeschermd met een dikke doek dat de betonnen kubus in een rood waas baadde.

14

"Club '69" bleek niet alleen voor geheimzinnige seks te zijn. De gastheer had ook voor sigaretten en bier gezorgd. Ik richtte me volledig op alcohol en nicotine en toonde hoe stoer ik was, door een keiharde boer af te wisselen met kringetjes rook. Toch voelde ik me, vergeleken met Willem, nog steeds heel klein. Casanova had me verteld dat hij het wel eens deed met Kirana, het stuk van de klas. Wat "het" precies was, daar zou ik vast snel achter gaan komen.

Willem lag met Kirana onder een camouflagejas op een smoezelige deken. Ik nam de ene teug na de andere trek en fantaseerde over wat er onder die mantel der liefde allemaal gebeurde. Willem zat aan Kirana, dat was duidelijk. Waar mocht hij allemaal aankomen? Hoe dan? Deden ze nu "het"? En dat tongzoenen, moest dat echt zo lang? Ik dronk en rookte flink door.

Kirana was niet alleen geil, maar ook onwaarschijnlijk mooi. Het enige meisje met een getinte huid op de hele school. Kirana was een prachtige naam, haar achternaam was nog veel exotischer: Malatimadhava. Zij was voor mij volkomen onbereikbaar, lichtjaren ver weg. Mijn hart sloeg al over als ze naar me keek of iets aardigs tegen me zei.

We stonden eens samen voor de ingang van school te wachten. Er was verder nog niemand.

'Waarom gaf Toller jou gisteren eigenlijk die harde klap?' vroeg ze met haar zachte stem en diepdonkere ogen. Ik hoorde niet eens dat ze plat 'gistere ègelijk' zei.

'O, dat.' Ik probeerde zo nonchalant mogelijk te klinken. 'Ik zag hem gewoon niet aankomen en toen voelde ik opeens die dreun.' Ik verzweeg dat bij mij thuis niet werd geslagen, omdat ik vreesde dat dit heldenepos daaronder zou lijden.

'Wat had je gedaan dan?'

Het leek alsof ze al een uur onafgebroken naar me keek.
'Ik schreeuwde naar dat mens van de derde, omdat ze Willem vastpakte.'
'Oh,' sprak haar mond in een zucht.
Nooit zou ik haar mysterie doorgronden.

Terwijl ik zat te dagdromen, fluisterde Willem iets in Kirana's oor en knikte naar mij. Langzaam, maar heel gedecideerd, stond ze op en betoverde me met haar indringende blik. Het was mij meteen duidelijk: dit bloedstollende, exotische, mysterieuze schepsel wilde deze keurige, verlegen, ietwat bekakt pratende jongen best ter wille zijn. Kirana Malatimadhava kwam op mij, Michiel Anders, toegelopen. Vlak voordat ze haar heerlijke zitvlees op mijn bovenbenen zou vlijen, trok ze haar strakke donkerbruine, ribfluwelen jurkje iets omhoog. Ik durfde niet te kijken, bang als ik was dat sinds het bezoek aan Willem niets haar sprookjesbillen meer omspande. Ik voelde haar zachte landing op mijn schoot. Op het moment dat ik voorzichtig mijn ogen opende, sloeg ze een arm om me heen. Ze hield haar hoofd een beetje scheef en wierp met een vertraagde beweging haar lange, zwarte haar opzij, liet haar hoofd naar voren vallen en keek me lief en verwachtingsvol aan. Ik had mijn handen vol aan peuk en beugelfles. Toch zag ik kans overeind te komen en Kirana van me af te schudden. In een poging me te verontschuldigen produceerde ik slechts een naar schraal bier stinkende boer. Ik liet de peuk en het flesje vallen, tuimelde de club uit en rende zo snel ik kon naar huis. "Het" kon nog wel even wachten.

2. Mollie

Met Willem kwam het niet meer goed. Ik kende geen grotere eikel. Vandaar dat het straatschoffie Michiel besloot weer een keurige knul te worden. Willem ging naar de mavo, Kirana naar de huishoudschool en ik stelde mijn ouders niet teleur door naar het vwo te gaan. Ik zat op hockey en tennis en werd soms zelfs uitgemaakt voor kakker. Mijn eigen zeilboot, een houten *Vaurien*, lag bij de Koninklijke Watersport Vereniging. Maar met wie kon ik zeilen? Ik had geen echte vrienden. Lol maken was er ook niet meer bij. Als jochie stond ik bekend om mijn vette schaterlach. Tijdens een film over de Volkswagen Kever die een race won, lachte de hele zaal. Die anekdote herhaalde mijn vader vaak. Een paar jaar later was het lachen mij volledig vergaan. Mijn vader had het hart op zijn tong. Hij was een opgewonden standje. Dat kon leuk zijn als hij een vrolijke bui had. Maar sinds ik de tien gepasseerd was bulderde hij van woede, niet meer van plezier. Toch wist ik bij mijn vader tenminste wat ik aan hem had. Dat kon ik van mijn moeder niet zeggen. Ik wist nooit wat zij echt van iets vond. Alles wat zij zei was voor 'de lieve vrede'. Mijn moeder was een kakmadam. Ze sprak met een keurige tongval, droeg chique kleren en prachtige sieraden. Ik hoorde haar nooit vloeken. Zij probeerde haar man thuis, en belangrijker: buitenshuis, in toom te houden. Ze hield zich vooral bezig met de schone schijn. Als iedereen maar dacht dat het bij ons thuis gezellig was. Als iedereen maar zag dat ik er goed verzorgd bijliep.

Met meisjes wilde het nog steeds niet lukken. Na de zeperd met Kirana was ik altijd en eeuwig verliefd, maar ze zagen mij niet. In het eerste jaar op de "grote school" werd ik hals over kop verliefd. Dit keer niet op een meisje.

De borsten van mevrouw Mol konden me oneindig veel meer bekoren dan honderd historische verhalen over de Grieken en de Romeinen. Wat mevrouw Mol ook vertelde, ik kon mijn aandacht er niet bij houden en luisterde niet naar haar. Ik hoorde helemaal niets, ook niet het hitsige gefluister van de jongens en het besmuikte gegiechel van de meisjes. De geschiedenislerares van klas 1F van het Keizer Karel Lyceum was nieuw en jong. Meisjesachtig. Ik vond dat ze een mooi gezicht had; 'guitig koppie' zou mijn vader zeggen. Ze liep niet gewoon, zoals ieder ander. Het was eerder een soort trippelen, waarbij haar hoge hakken luchtig het linoleum aantikten, klik, klak, klik. Trippel, trappel, kruisje, wie komt er in mijn huisje?

Met bordschrijven had ze weinig ervaring. Het hoge krassen van het krijtje ging door merg en been. Ik wist me geen raad met het eveneens hartverscheurende uitzicht. Haar achterwerk wipte op en neer in hetzelfde ritme als de hand die langs het schoolbord bewoog. Op haar prachtige, jonge lichaam was een jurkje geschilderd. Geen verpakking van harde stof. Het wollen, rode jurkje zat strak om haar billen. Het elastiek van haar onderbroek schreeuwde om aandacht. 'Kijk eens wat ik omhul!' Ook al speelden mijn hormonen voortdurend tikkertje, ik verdacht haar niet van opzet. Deze docente was van een pure, onbedorven onschuld. Zij was zich absoluut niet bewust van de steelse jongensblikken die haar jurkje opstroopten. En dat mocht, gezien het schouwspel dat ze bood, bijzonder genoemd worden. Keizers, centurions en geestelijken keken verstoord vanaf de wandplaten naar het hilarische toneel.

Het gonsde langs de tafeltjes die twee aan twee in drie rijen stonden opgesteld:

'Mollie draagt geen bh.'

En inderdaad, lijnen zoals rond haar billen waren op schouders en rug niet te bespeuren. Maar het duidelijkste bewijs leverde de voorkant.

Mevrouw Mol, of liever: juffrouw Mol, ze was niet getrouwd, draaide zich voor de zoveelste keer om en riep met hoge stem over het rumoer heen:

'Kan het nu eindelijk eens stil zijn?!'

Ik stelde me voor dat ik haar aanraakte. Het enige dat indeukte was warm, zacht vlees.

Machteloos keek ze naar de negenentwintig gezichten. En omdat ze tegen zoveel overmacht niet opkon, kraste ze weer door op het bord. Had ze echt niet door dat iedereen naar haar pronte borstjes gluurde? Nee, arme mevrouw Mol. Ik verlangde plaatsvervangend naar het einde van deze les.

Terwijl de billen weer wulps naar de klas wuifden, fluisterde mijn buurman: 'Die Mol had beter onder de grond kunnen blijven.'

Ik mijmerde nog toen ik antwoord gaf. 'Dat molletje heeft anders wel twee mooie hoopjes naar boven gewerkt.'

Ik schrok wakker. Het was er zomaar uitgefloept. Mijn buurman gierde van het lachen. Hij sloeg hard op zijn tafel en liet theatraal zijn hoofd voorover vallen. Als hij dat niet had gedaan, zou er verder niets bijzonders zijn gebeurd die dag.

Mol draaide zich om, keek ten einde raad de klas rond en kwam langzaam op mij af. Klik, klak, klik, klak. Ik keek voor het eerst deze les in mijn boek. Met de klassenlijst in haar hand stond ze vlak voor me. Het was muisstil. Alle aandacht van de klas richtte zich op mij en niet meer op het jurkje.

19

De leerlingen vonden mijn rode kop nu interessanter. Met een vinger bij mijn naam zei de historica: 'Michiel?'
Even wachtte ze, niet zeker van mijn naam. Omdat die blijkbaar klopte, vervolgde ze: 'Wat zei jij tegen je buurman?'
Ik bloosde nog meer. De wandplaten keken streng op me neer, veel strenger dan de docente. Zij klonk eigenlijk heel vriendelijk.
'Niks, mevrouw,' zei ik beteuterd tegen mijn grote liefde.
'Júffrouw. En jouw buurman moet dus om niks zo lachen.'
Ze draaide haar hoofd even naar de buurman. Die gaf niet thuis.
'Vreemd, vind je niet?' Gek genoeg leek het echt een vraag.
De bel ging. Mijn klasgenoten stormden het lokaal uit. Een tafel viel met een enorme knal om.
Ik durfde niet op te staan. Als ik haar aan zou kijken, zou ik zeker flauwvallen en ik schaamde me voor mijn knalrode hoofd. Ik wist dat ze me aan bleef kijken. Ze stond heel dichtbij. Ik voelde haar warmte stralen, maar zag alleen haar benen en de knieën met het rood van haar jurk daar ruim boven. Haar hakken maakten kleine rondjes in het linoleum. Vanuit mijn ooghoeken onderzocht ik haar borsten. Twee kraaloogjes keken me uitdagend aan. Zag ik het wit van haar blote huid door de wol lonken? Mijn handen volgden onder de tafel de vorm van haar borsten. Ik voelde de tepels kietelen in mijn handpalmen. Als ik flauw zou vallen, zou mijn hoofd precies bij haar borsten uitkomen. Ik wilde het liefst mijn gezicht ertussen begraven, in huilen uitbarsten en haar mijn liefde bekennen. Zo dichtbij en toch onbereikbaar.
Iedereen had het lokaal verlaten. Boven me hoorde ik haar schorre stem: 'Michiel, ik weet niet wat er allemaal aan de hand is met deze klas en ook niet wat jij allemaal tegen je buurman zegt...'

Haar lichaamsgeur prikkelde mijn neus. Ik dacht zweet te ruiken, maar dan rook zelfs haar zweet lekker. Helemaal niet vies, verrukkelijk, daar kon geen parfum van mijn moeder tegenop.

'Ga jij voor straf maar een bladzijde uit de bijbel overschrijven.' Haar stem hield het midden tussen smeken en bevelen.

'Uit de bíjbel?' reageerde ik opgelucht en verbaasd tegelijk. 'Die hebben wij thuis niet eens.'

'Zorg maar dat je er een vindt. Morgen wil ik het strafwerk voor half negen hebben. En nu ga ik koffie drinken. Pak je biezen. Wegwezen.' Ik stond op, keek haar heel even recht in de ogen en onderdrukte de sterke aandrang haar te omhelzen. Ik haalde diep adem door mijn neus en vroeg me af of zij kon zien wat ik voelde. Ze draaide zich abrupt om. Snel pakte ik mijn spullen bij elkaar en liep naar de gang. Op de drempel stamelde ik: 'Dank u, júffrouw Mol.'

Het spook van de Saint, Maigret en de zakkenroller, Het aanzien van 1969, Ons Koningshuis. De boeken stonden netjes op een rij, de ruggen precies gelijk alsof ze met een lange lat in de kast geduwd waren. *Help, de dokter verzuipt* deed mij grinniken. Ik zag mijn vader, de dag dat hij een stukje wilde voorlezen aan mijn moeder en mij, schaterlachend met het boek in zijn handen. Telkens weer begon hij het voor te lezen, maar barstte hij uit in een bulderende lach. De tranen biggelden over zijn wangen. Iedere keer pakte hij met de linkerhand zijn bril van zijn neus en met de rechter een schone zakdoek uit zijn broekzak. Vervolgens droogde hij de ogen, poetste de bril en stak de zakdoek, gehinderd door onverwachte lachstuipen, opgevouwen in zijn broekzak. Na drie pogingen gaf hij het op.

Naast *Ciske de Rat* stonden *Ciske groeit op* en *Cis de Man*.

Ik trok het eerste deel van de trilogie uit de kast en sloeg het open. De typische oude boekenlucht, een vleugje van de geur in de bejaardenflat van mijn oma. Muf, maar ook spannend, de geur van een onbekend verleden. 'Door Piet Bakker. Tiende druk. 1947.' Het boek was vlak na de oorlog geboren, net als mijn zus. De vergeelde bladzijden glipten met een droog geluid onder mijn duim uit. Mijn oog viel op een kort zinnetje: 'De Rat heeft zijn moeder vermoord...' Ik schrok. Aan die oplossing had ik nooit gedacht. Is het mogelijk dat een zoon zijn moeder zo verschrikkelijk haat dat.....? Ik schaamde me dood. Die keer dat ik doktertje gespeeld had. Zo onschuldig. En desondanks moest ik schuld bekennen. Ze werd niet woest, zoals vader later, maar bleef me indringend aankijken. Die blik. Dat schuldgevoel. Godverdomme. Godver, gloeiende godverdomme.

Ik slikte mijn tranen weg, rechtte mijn rug en zette de boeken terug op hun plaats, keurig als soldaten in het gelid, zoals moeder dat zo graag zag. Ik keek op mijn horloge. Vijf voor vier. Het duurde nog zeker een uur voor ze thuiskwam. Mijn ouders mochten niet weten dat ik strafwerk had. Dat zou me minstens een week zakgeld kosten en een vervelende preek opleveren. Ze was naar Amsterdam om inkopen te doen voor de kantine van de fabriek van mijn vader. Daar verheugde ik me altijd op, want ze kocht ook veel voor thuis. En in grote hoeveelheden, want je kon bij groothandel "De Hoop" niet een of twee producten kopen. Alles in verpakkingen van 12 of 24. Kratten sinas en 7Up, dozen jenever, sherry, chips en koekjes. Er was altijd zoveel in huis dat het niet opviel dat ik af en toe wat inpikte. Vooral chocolaatjes verdwenen regelmatig naar mijn kamer.

Mijn blik gleed naar de bovenste plank. Helemaal rechts in de hoek stond een groot dik boek dat ik niet kende.

Het had een donkerbruine leren rug. Ik kon er niet bij en pakte daarom een van de vier stoelen die om een antieke ronde tafel stonden. 'Niet wippen!' hoorde ik moeder streng zeggen. 'Daar vermoord je die stoelen verdomme mee,' vloekte vader. Maar ze waren nu niet thuis. Ik zette de fragiele stoel rechts voor de boekenkast en klom erop. Hij kraakte onheilspellend. Het leer zat vastgeplakt. Ik kon het boek niet goed beetpakken. Met moeite wist ik een vinger in de onderkant van de rug te prikken. Het droge leer barstte, maar scheurde gelukkig niet. Het boek dat mee wilde komen hield ik tegen en zo schoof langzaam het strafwerk uit de kast. Sierlijk prijkten de gouden letters: Bijbel.

Ik sprong op de grond en keek naar de zitting. Vaag waren de afdrukken van schoenen te zien. Voordat ik de stoel terugzette, streek ik stevig met mijn hand over het olijfgroene velours. Mijn moeder zag alles, net als god. Alleen geloofde ik niet in god. Eigenlijk geloofde ik ook niet in mijn moeder, die was er gewoon.

Met de bijbel onder mijn arm liep ik de kamer uit en rende de trap op. Zittend op mijn bed sloeg ik het imposante standaardwerk open. Er viel iets. Ik raapte een klein envelopje op en legde het naast me neer. Mijn ogen volgden de kleine lettertjes in het grote boek. De namen Kaän en Abel kwamen veel voor. Een bladzijde is weinig, had ik op school gedacht, maar nu zag ik hoeveel daar op stond. 'Dat red ik nooit in een uur,' zei ik zachtjes, 'Gelukkig zien ze niet dat het boek uit de kast is. Er kijkt nooit iemand naar.'

Ik liet het met een plof dichtvallen en pakte het envelopje. Voorzichtig opende ik het en haalde er een kaartje uit. Het was kleiner dan vijf bij tien centimeter en had een kartelrand.

Op de hoek linksonder lag een nog veel kleiner kaartje. De kaartjes waren met een minuscuul blauw lintje aan elkaar gestrikt. Op het kleinste stond *Michel* gedrukt. Een geboortekaartje! De adem stokte in mijn keel. *Met grote dankbaarheid en blijdschap geven wij kennis van de geboorte van ons zoontje.* De namen van papa en mama. *29 februari 1944.* Dat was tijdens de oorlog. Het adres was van oma. Daar moesten ze toen gewoond hebben. Mijn hart bonkte in mijn borst. Dit was slechts voor één uitleg vatbaar: ze hadden nog een zoon. Ik had een broer. Ik prevelde het woord voor me uit. 'Broer, broer, broer.' Ik pakte mijn kussen en drukte keer op keer mijn gezicht erin. Steeds harder praatte ik in mezelf. 'Ik heb een broer. Hannah heeft twee broers. Papa en mama hebben drie kinderen. Een dochter en twee zonen. Twee zonen. Michel en Michiel. Eén letter verschil. Veertien jaar ouder. Zevenentwintig. Waar is hij? Waar ben je, Michel? Michel!!'

Mijn hart sloeg een slag over. Ik sloot mijn ogen en zag een dubbelgevouwen brief voor me. Met bibberende handen vouwde ik hem open. Een zwarte rand. *Met diep leedwezen .... Michel .... 29 februari – 14 maart 1944 ....*

Dood. Dat was natuurlijk de reden. Een vage gestalte naderde vanuit de mist. Naakt, met een dik boek op buikhoogte. Michel? Ben jij Michel? Een slank figuur, grappig haar, geen borsten.

'Michiel?'

Die stem.

'Michiel, dit was de enige manier.'

Juffrouw Mol! Zonder borsten, een eunuch.

'Ik wist niet hoe ik je dit anders kon laten weten.'

'Maar hoe…,' begon ik aarzelend. Het had geen zin, ze was al weg. Ik opende mijn ogen en landde hard op aarde. Michel is dood. Mijn broer is dood. Niet zevenentwintig.

Twee weken. Niet drie kinderen. Twee kinderen.

Het duizelde in mijn hoofd. Ik liet me opzij vallen en ging languit liggen. Plotseling vielen duizenden puzzelstukjes op hun plaats. Het was net of ik al jaren een bijna niet te leggen puzzel aan het maken was. Alleen wolken of niets dan bomen met blaadjes. Om gek van te worden, alle stukjes leken op elkaar. Maar nu de puzzel paste, toonde het resultaat geen prachtige lucht of schitterend bos. Het was een enge droom. Hardop dacht ik: 'Als Michel was blijven leven, had ik nooit bestaan. Mijn ouders wilden twee kinderen. Een derde was niet gewenst. Ik ben niet gewenst, ik ben niets. Ik beteken niets. Ze houden van Michel. Ze treuren om Michel. Eén letter verschil.'

Ik staarde naar een streepje en een puntje. Een uitroepteken op zijn kop.

'Juffrouw Mol, u moest eens weten.' Ik zag op mijn wekker dat moeder ieder moment kon thuiskomen. 'Juffrouw Mol gaat helemaal niets weten en tegen pa en ma zeg ik ook niets. Ze hebben nooit iets gezegd. Doodgezwegen. Waarom? Denk maar niet dat ik jullie iets ga vragen. Ik heb geen ouders meer. Ik los het allemaal wel alleen op.' Een harde lach barstte onder uit mijn buik. 'Word ik nu gek? Ik lig de hele tijd in mezelf te praten.'

Opeens zag ik haar weer voor me, niet als eunuch, maar zoals ze die ochtend naast me stond. Ik rook haar heerlijke zweet en zuchtte diep: 'Lieve juffrouw Mol.' Ze legde een hand tegen mijn achterhoofd en drukte langzaam mijn gezicht tussen haar borsten. Ik voelde haar warme zachtheid door de rode angorawol naar mijn wangen stromen. Met beide handen streelde ik teder haar billen. 'Oh, mollige Mollie.'

'Michiel? Ben je boven? Michiehiel?!'

25

'Verdomme, ze is thuis,' mompelde ik en trok geschrokken een plakkerige hand uit mijn broek. Ik pakte snel de bijbel en liet hem achter een stapel stripverhalen glijden. Een hoek van het heilige boek was nog net zichtbaar. Op de rand schitterde een klein kloddertje in het zonlicht dat ineens rijkelijk mijn kamer binnenspoelde. Ik glimlachte en veegde vlug mijn hand af aan het laken.
'Ja, mam, ik kom zo.'

3. Suzanne

Zo weinig ik in de tweede van het atheneum voldeed aan de verwachtingen van mijn ouders, zo veel was ik bezig met mijn verwachtingen van meisjes. Ik vocht tegen puistjes en vet haar. Ik hunkerde naar "het". Ik was de slaaf van mijn verlangen. Een jaartje *freewheelen* op school leverde me een flinke mijlpaal op. Eindelijk had ik echt gezoend, getongd dus. Hoera, de vlag kon uit! Ik telde weer mee. Ze zag er best leuk uit en tenniste, net als ik. Mijn ouders mochten vroeger niet op tennissen, dus ik moest. Maandenlang deed ik stoer mee met een groepje dat ook niet echt voor de sport kwam. Net buiten het tennispark lag een hertenkamp. Bij een bankje met zicht op de dartele diertjes rookten we stevig en kletsten we slap. Ik lette vooral op haar en het leek alsof ze mij ook wel zag zitten. Toen ze me na een training voorstelde 'nog even bij de hertjes te gaan kijken' wist ik meteen waar ze naartoe wilde.

Ik vond er geen bal aan, niet met háár. Het ergste was die onvoorstelbaar harde lach. En niet alleen qua volume. Ze lachte niet om anderen. Ze hinnikte om alles wat ze zèlf zei. Dat ik dat niet eerder had opgemerkt. Een flauwe grap over iets met Bambi gevolgd door weer een gierende schaterlach deed mij alle schroom overwinnen. Ik snoerde haar de mond. Maar na tien minuten onophoudelijk tongzoenen, wist ik me geen raad meer. De huid rond mijn mond begon lichtjes te schrijnen en ik kreeg kramp in mijn onderkaak. Stoppen? Maar hoe dan? In gedachten hoorde ik mijn nieuwe vriend Martijn: 'Voelen is vies, vies voelen is lekker'.

27

Niet dat wij daar enige ervaring mee hadden. Ik had al zoenende slechts haar schouders en haar rug aangeraakt. Hier viel nog wel iets te veroveren. Wat zou Martijn beteuterd kijken.

Voorzichtig maakte ik me los uit haar wurggreep, keek haar even diep in de ogen en legde mijn kin in haar nek. Met mijn linkerhand duwde ik haar gezicht tegen mijn hals, zodat ze niet kon gaan praten. In een snelle beweging trok ik het lange, blonde haar uit mijn mond en glipte met mijn rechterhand onder haar bloesje. Ik voelde haar even verstijven, maar ze bleef aan mijn hals lebberen. Voor het eerst van mijn leven had ik een borst in mijn hand. Niet het zachte vlees van juffrouw Mol, maar de harde bh-stof van mijn zus. Op het moment dat mijn zoekende hand net het sluitinkje op haar rug had gevonden werd hij vastgepakt en naar veiliger terrein geleid. Ik moest mijn speurdersinstinct in de wilgen hangen. Helaas, er viel niet op te scheppen bij Martijn. Hij zou dit vast niet vies genoeg vinden, en zeker niet lekker.

Verder kon het me weinig schelen dat deze poging was mislukt. Binnen een week maakte ik er een eind aan, dat wil zeggen: liet ik niets meer van me horen. Leren tongzoenen was al niet eenvoudig. Hoe je het moest uitmaken was helemaal onontgonnen terrein.

Een beetje beteuterd keek Martijn wel toen ik hem trots een roodpaarse zuigvlek liet zien. De vriendschap met Martijn was oppervlakkig. Onze gesprekken bestonden vooral uit afzeiken en opscheppen, maar ik voelde me tenminste niet meer zo alleen. We hockeyden allebei en als we over meisjes en muziek uitgepraat waren, konden we het altijd nog over sport hebben. Het Nederlandse hockey kreeg internationaal een steeds hoger niveau, legde Martijn uit.

Hij raakte daar maar niet over uitgepraat. Mij interesseerde het niet, ik vond hockey eigenlijk net zo stom als tennis. Maar net als indertijd met Willem deed ik weer mijn uiterste best om ergens bij te horen.

Ik kamde mijn niet al te lange vaak vette haar netjes, droeg saaie, donkere Shetlandwollen truien met een gestreept overhemd eronder en de boord erover. En natuurlijk altijd de *college*sjaal, een absolute *must* op de hockeyclub. Zelfs mijn thuis moeizaam bevochten ribjeans en bordeelsluipers stonden hier ballerig bij.

Zo op het eerste gezicht konden mijn ouders trots op me zijn, ware het niet dat ik met negen onvoldoendes in de tweede klas bleef zitten. Eenenveertig enen noteerde ik in mijn agenda. Ze haalden opgelucht adem toen daar een jaar later drieënveertig tienen tegenover stonden. 'En ik heb dit jaar even weinig uitgevoerd,' voegde ik daar nonchalant aan toe.

Op het tweede gezicht viel deze keurige Michiel helemaal knap tegen. Mijn ouders wisten niet dat ik veel rookte en veel dronk. Ik pikte regelmatig flessen sherry van mijn moeder en pakjes Caballero van mijn vader. Ze wisten *sowieso* niets van me, want ik vertelde niets. En zij vroegen niets. Ze hadden geen enkele interesse in mijn zielenroerselen. Mijn woede had inmiddels plaats gemaakt voor onverschilligheid. Ik haatte hen niet meer, ik wilde gewoon zo min mogelijk met ze te maken hebben.

Martijn en ik zaten niet op dezelfde school, maar we zagen elkaar regelmatig, doordat onze ouders bevriend waren. Ieder jaar gingen we met drie gezinnen op vakantie. We waren de enige kinderen die nog mee moesten.

In de zomer reden we met drie caravans, via Duitsland en Oostenrijk, naar Italië.

De reis verliep goed, al dreigde in Oostenrijk een flink oponthoud. Mijn vader wond zich verschrikkelijk op toen hij van een politieagent een flinke uitbrander kreeg. De agent had gelijk, mijn vader maakte een verkeersovertreding, maar hij is allergisch voor uniformen en Duits gesnauw. Briesend spuugde hij de man in het gezicht: 'Hitler war ein Österreicher!' en dat het Alpenland zich dankbaar bij het Derde Rijk had aangesloten. *Anschluss* was een van de eerste Duitse woorden die ik kende. Mijn moeder was tussenbeiden gekomen. Ze verbaasde mij en de agent met haar kennis van de Duitse taal. In rappe woorden stelde ze de wetsdienaar gerust. - Thuis bracht mijn moeder de oorlog liever niet ter sprake. Ze had een hekel aan conflicten. Bij zwaar weer aan de ontbijttafel had mijn vader haar eens verweten nooit gebroken te hebben met haar eigen vader, die veel te lang NSB'er was gebleven. - Het incident liep af met een sisser.

De hele reis ergerde ik me dood aan de manier waarop Martijns vader zijn vrouw behandelde. Zij was al jaren ziek. Tante Trudie had een hersentumor, die niet meer viel te behandelen. Ze had wel eens heldere momenten. Er kwam dan iets zachtaardigs in haar. Ze leek op zo'n moment veel liever dan voor haar ziekte. Maar ze zei vaak ineens iets raars. Als Tante Trudie zich weer een keer vreemd uitliet, terwijl haar pruik een beetje scheef zat, zag ze er heel lachwekkend uit. Maar ik voelde geen enkele aandrang te lachen. Martijns vader zette zijn vrouw iedere dag de hele weg in haar onderbroek in de auto. Dat vond hij makkelijk, omdat hij regelmatig met haar naar de wc moest en ze nogal eens in haar broek plaste. Hij werkte bij de politie, als inspecteur. Martijn vond het prachtig dat zijn vader daar werkte. Ik hield niet van de politie.

Al had Martijn wel iets van zijn vaders botheid, ik vond hem echt aardig en had veel lol met hem. Dat ging meestal wel ten koste van anderen. Die vrolijke kop met dat donkere krullende haar liep wat achter, je merkte aan niets dat hij anderhalf jaar ouder was, maar hij had wel veel lef. Dat kwam natuurlijk door zijn oudere broer. Die leerde hem van alles. Hij wel.

Martijn nam oom Karel en tante Mieke - het derde ouderstel - geregeld in de zeik. We waren geen familie van elkaar. Toch noemden wij hen al jaren oom en tante. Hun zoon ging, net als mijn zus en de broer van Martijn, al jaren niet meer mee. Dit jaar mocht ook hun dochter Joke voor het eerst thuis blijven. Martijn liep tijdens een pauze langs de snelweg naar tante Mieke, terwijl hij veelbetekenend naar me knipoogde.
'Tante Memmen, ik vind het zo jammer dat Joke niet meer meegaat. Ze heeft zo'n mooie bikini.' De belangrijkste reden voor Joke om niet meer mee te gaan, was dat Martijn het vorige jaar in een overmoedige bui het bovenstukje van haar bikini had losgetrokken. Het gebeurde onder water. We konden niets zien, maar ze was woest. 'Vuile viespeuk, donder op met die hitsige handjes van je.'
Hij wachtte niet op antwoord van tante Mieke. Ze was met stomheid geslagen. Hij ging direct verder met haar echtgenoot: 'Volgens mij zag ik net iets onder uw caravan hangen, oom Eppo.' Dat zei Martijn zonder blikken of blozen tegen hen, tante Memmen en oom Eppo. Ik kreeg iedere keer last van plaatsvervangende schaamte als Martijn dat zo maar zei. Maar als we weer alleen waren en zeker toen oom Karel onder zijn caravan lag, lagen we te huilen van het lachen.
Al voordat we naar Italië gingen had ik het al eens bijna in mijn broek gedaan.

31

Bijna iedere zaterdag werkten we in de fabriek van mijn vader om geld te verdienen voor de vakantie. Meestal bestond het werk uit het inpakken van gekleurde plastic bloempotjes in kartonnen dozen. Dat gebeurde aan een lange tafel waar naast ons ook een wat oudere vrouw met een licht Duits accent stond te werken. Toen we op een zaterdag naar de fabriek fietsten had Martijn bedacht om tijdens het werk tandenpoetsen in plaats van masturberen te zeggen. Na een tijdje het afstompende werk gedaan te hebben, terwijl we naar Radio Veronica luisterden, begon Martijn.

'Hé Chiel, heb jij vanochtend je tanden wel gepoetst?'

'Nee, natuurlijk niet, daar had ik toch geen tijd voor? Je kwam me al om half acht ophalen. Jij wel dan?'

'Ook niet. Ik poets nooit mijn tanden als ik zo vroeg op moet.' We konden vanuit onze ooghoeken zien dat de vrouw verbaasd meeluisterde, maar ze zei niets en werkte in een flink tempo door.

'Je hebt ze gisteren toch wel gepoetst, hè Tijn?' wilde ik weten.

'Nou nee, nu ik erover nadenk, ik heb eigenlijk al een paar dagen m'n tanden niet meer gepoetst.' Martijn wisselde, met zijn rug naar de vrouw, een blik van verstandhouding met mij.

'Ach, dat maakt niks uit. Ik heb ze ook al een paar dagen niet meer gepoetst. Dat doe je toch alleen als je er zin in hebt. Soms poets ik ze meer dan een week niet.' Nu hield de vrouw het niet meer. Met haar Duitse tongval spuugde ze:

'Getverderrie, wat zijn jullie voor viespeuken? Je moet twee keer per dag je tanden poetsen, of eigenlijk wel drie keer. Het is heel slecht dat jullie zo weinig je tanden poetsen. Als jij niet belooft veel vaker je tanden te poetsen, moet ik het tegen je vader zeggen, Michiel.'

Met veel moeite kon ik nog 'Jawohl, gnädige Frau' uitbrengen. Vervolgens was het onze beurt om het niet meer te houden. We lieten de bloempotjes liggen en renden proestend de fabriek uit.

Bij aankomst op een camping aan de noordkant van een groot meer werd ik overspoeld door een golf van verrukking. De volgende dag zou Martijns vader ons naar een andere camping brengen. Zo'n 45 kilometer verwijderd van onze ouders, mochten we samen twee weken kamperen. Het mes zou aan twee kanten snijden. Daar hield Martijns vader wel van als praktisch denkende politie-inspecteur. Zijn zoon kon laten zien dat hij in staat was volgend jaar alleen op vakantie te gaan en hij was een beetje in de buurt van zijn moeder, die snel haar einde naderde. Mijn ouders vonden me eigenlijk nog te jong om zonder hen weg te gaan, maar dat Martijn anderhalf jaar ouder was, bleek een ijzersterk argument: 'Vooruit maar'.

'Zo, we zijn er bijna.'
'Pa, zet ons maar hier af. We lopen het laatste stukje wel.'
Oom Henk grijnsde. 'Vinden de heren dat het er niet tof uitziet als ze door papa gebracht worden?' Hij sprak 'tof' veel te netjes uit.
Ik voelde me betrapt, maar Martijn leek er niet mee te zitten en zei lachend: 'Zoiets.'
'Stap maar gauw uit dan. Het is eigenlijk te gevaarlijk om hier te stoppen. Ik wil liever niet door mijn Italiaanse collega's bekeurd worden.'
'Dat doen ze heus niet als je zegt wie je bent, pa.'
'Vertrouw daar maar niet te veel op. Ze zijn hier niet zo vriendelijk als bij ons. Nou, schiet op, eruit jullie en vergeet je spullen niet. En vergeet ook niet te bellen, Martijn.'

'Ja, pap. Dag pap.'
'Dag oom Henk.'
Hij zei vast iets als dag knullen, doe voorzichtig, maar dat hoorden we al niet meer. We deden snel onze rugzakken op en zwaaiden nog even naar Martijns vader, die toeterend wegreed.

'Te gek,' schreeuwde ik en sloeg Martijn hard op zijn schouder, 'twee weken zonder ouders.'

'Ja, retegoed. Tof. Kom op, geef mij die tent het eerste stuk.'

'Nee, laat maar, ik heb hem nu toch al. Lopen, we staan hier niet echt lekker. Jezus, wat rijden die auto's belachelijk hard.'

Martijn liep voorop, zoals altijd bij iedere stap zijn schouders om de beurt naar voren draaiend. Ik sjouwde me een breuk met die tent, het was gelukkig niet zo warm die dag. Ik voelde me goed in mijn versleten spijkerbroek en vale ribjasje. Het was me gelukt een bezoek aan de kapper uit te stellen, zodat mijn haar ver over mijn oren hing. 'Wat zie je er uit!' zei mijn moeder met afschuw in haar stem toen ik bij oom Henk instapte, 'Kijk eens naar je vriend. Zo kan het toch ook?'

Ik moest het wel steeds vaker wassen. Het leek of mijn haar sneller vet werd als het langer was. Sjokkend langs de drukke weg viel het me pas op hoe verschillend we er bij liepen. Alleen onze zonnebrillen leken op elkaar. Martijn kon zo van de hockeyclub komen met zijn keurige krullen en blauwe *Lacoste* poloshirtje op een beige ribbroek. Ik had welbewust een kleine metamorfose ondergaan. Weg met het benauwde ballenbestaan. Lang leve de hippies! Al begreep ik nog weinig van wat zich allemaal afspeelde in de wereld.

'We zeggen dat we zijn komen liften. Niets over m'n pa.'

'Nee, natuurlijk niet. Helemaal uit Nederland?'
'Ja, waar anders vandaan?'

Ervaren kampeerders waren we. De tent stond binnen tien minuten. We hadden meteen al veel bekijks. Helaas niet van de door ons beiden zo felbegeerde meisjes van onze leeftijd. Wel van twee Nederlandse gezinnen met vijf kinderen variërend van zes tot dertien jaar. De ouders keken niet erg overtuigd bij de beschrijving van de route die we liftend hadden afgelegd. Niet bedacht op de vraag noemden we lukraak wat namen van plaatsen die we van onze ouders kenden.

De drie jongens kwamen een paar keer per dag vragen of we wilden voetballen. Ajax had net voor de derde keer de Europacup gewonnen en dus wilden alle Nederlandse jongens voetballen. Martijn vond het 'helemaal hartstikke tof' als fanatieke sporter en ik vond het ook wel leuk.

De oudste van de vijf kinderen, een meisje van dertien, viel duidelijk op Martijn. Als we met de jongens voetbalden, keek ze alleen naar hem. Ze juichte iedere keer als hij iets goeds deed. En als ze de kans kreeg, ging ze tegen hem aan staan. Op een van de sporadische momenten dat we even alleen waren, treiterde ik:

'Is dat niets voor jou dat grietje? Ze is helemaal weg van je en staat de hele dag tegen je aan te rijden.' Ik lag op mijn luchtbed voor de tent. Martijn was druk bezig zijn spullen in de tent bij elkaar te zoeken. Hij hield van opgeruimd staat netjes.

'Doe normaal. Ik ben geen pedofiel,' snauwde hij naar buiten.

'Of durf je soms niet?' pestte ik lacherig. Ik keek naar de blauwe hemel. Martijn stak zijn krullenkop uit de tent.

'Jezus man, natuurlijk durf ik wel, maar niet met haar. Heb je d'r goed bekeken?' knikte hij in de richting van haar tent.

'Ja, dat is het juist. Ik heb heel goed gekeken. Ze heeft lekkere tietjes voor dertien en volgens mij wil ze wel,' grinnikte ik.

'Jezus, wat ben jij een lul.' Martijn keek echt boos. Ik draaide me langzaam naar hem toe.

'Martijn, je bent gewoon een schijterd,' probeerde ik hem definitief knock-out te slaan.

'Moet je horen wie het zegt.' Die zat. Gefrustreerd ging ik weer liggen en zweeg.

Ook ik had meteen een meisje achter me aan. Anoukje was zes en van begin af aan verkikkerd op me. Ik vond kinderen best leuk, maar deze liefdesuiting was te veel. Haar dat duidelijk maken kon ik niet, daarvoor was ik te vertederd. Iedere keer als we in de buurt van onze tent waren, kwam dat kleintje bij me zitten en vroeg de oren van mijn hoofd.

Als we eindelijk zonder die kinderen op het strandje lagen, deden we waarvoor we gekomen waren: gluren naar en praten over. 'Moet je kijken wat een lekker stuk!' Verder kwamen we niet. Dus schakelden we algauw over op voetbal, brommers, muziek en soms zelfs school. Martijn was voor Ajax, ik voor Feyenoord. Martijn wilde een Honda, ik een Puch. We gingen allebei meteen een lp kopen als we weer in Nederland zouden zijn. En we wisten zeker dat we het volgende jaar zouden overgaan.

De derde avond ontstond zelfs even een serieus gesprek. Martijn onthulde, liggend voor de tent, beneveld van de goedkope Italiaanse wijn, dat hij zijn vader verdacht van 'iets met tante Memmen'. Waarop ik, ook onder invloed, overmoedig reageerde met: 'Hij valt natuurlijk op d'r tieten en je moeder heeft niet eens borstkanker'.

Vervolgens wist ik niet hoe snel ik mijn excuses moest maken en ging daarna oprecht vriendelijk door op de mogelijke gevolgen van deze geheime amoureuze ontwikkelingen.

'Denk je dat hij straks met de Memmen gaat trouwen en dat zij dan bij jullie intrekt?'

'Nee, ik denk niet dat hij ruzie wil met Eppo en hij is volgens mij niet verliefd.'

'Nee, dat kan ik me niet voorstellen, behalve op d'r...'

'Ja kom, dat is toch wat weinig reden,' verdedigde Martijn zijn vader.

'Nou, ik denk dat Eppo er vroeger helemaal voor gevallen is. Maar even zonder dollen, denk je dat ze het met elkaar doen?'

'Ik kan het me niet voorstellen.'

'Ja, ik kan het ook niet van mijn eigen ouders voorstellen. Wie wel? Dat zegt niets.'

'Ja, maar toch.... Ik denk dat mijn vader gewoon een gratis huishoudster zoekt.'

'En heeft gevonden. Maar Jezus Tijn, hoe vind jij dat? Je moeder is nog niet eens dood. Sorry dat ik het zeg.'

'Geeft niet, het is gewoon zo. Ach, ik weet het niet. Mijn moeder is al vier jaar ziek en hij kan niet eens een ei koken. En veel seks zal er ook niet geweest zijn de afgelopen jaren.'

'Daar hoeft je vrouw niet ziek voor te zijn.'

'Hoe bedoel je?'

'Nee, laat maar. En hoe vind je het dan dat je moeder zo in de auto zit?'

'Hoe bedoel je?'

'Jezus, jij begrijpt ook niets. Zo in haar onderbroek.'

'O, dat. Tsja, ik weet niet.'

'Nou, ik weet het wel. Ik vind het belachelijk. Hoe kan hij haar zo behandelen?'

'Hou nou maar op. Maken we nog een fles open of gaan we eerst piesen?'

Voor de zoveelste keer liepen we broederlijk naar de wc's. Op de terugweg vroeg ik lichtelijk lallend en veel te hard: 'Hé Tijn, wie hoort niet thuis in dit rijtje: Pink Floyd, Yes, Emerson, Lake and Palmer of Deep Purple?

'Ik zou het niet weten, Chiel. Allemaal steengoeie muziek.'

Met 'Fout. Deep Purple natuurlijk, dat is toch geen muziek?!' kapte ik het enige persoonlijke gesprek van ons kampeeravontuur af. Oppervlakkig opscheppen en afzeiken ging me beter af.

Na een uitstapje naar een verderop gelegen plaatsje lagen we met onze luchtbedden te dobberen op het meer. De zon bronsde onze jongenslijven. De warmte voelde weldadig. In het dorp was de stemming onder nul gezakt. Stom, saai, niets te beleven, gezinnetjes en bejaarden. Op de terugweg kregen we een lift van een schone Italiaanse. Tenminste we dachten dat ze Italiaans was. Onvoorstelbaar belachelijk hadden we ons gemaakt door haar open en bloot te bespreken. We dachten dat we alles konden zeggen en dat deden we ook. Daarna stelden we elkaar steeds dezelfde vraag: Hoe kon het mogelijk zijn dat die vrouw Nederlands praatte en erger: verstond? Er was bijna geen Italiaan die Engels verstond. Dit kon gewoon niet waar zijn. Of: ze is met een Nederlander getrouwd. Of: ze heeft in Nederland gewoond. Of: het is een Nederlandse die in Italië woont. Of: ze komt uit Nederland en studeert Italiaans. Er waren veel antwoorden mogelijk. Maar één ding was absoluut duidelijk: we waren afgegaan als een gieter. Wat een aanfluiting!

We hadden net een wildwatergevecht gehouden. Ik probeerde steeds weer Martijn van zijn luchtbed te gooien. En dat liet hij natuurlijk niet op zich zitten. Geen van tweeën wilden we onderdoen voor de ander. Met een verbetenheid alsof de wederopstanding van ons imago ervan afhing gingen we elkaar te lijf. Het werd een gelijkspel.

Nu hield ik rustig Martijns luchtbed vast, zodat we niet uit elkaar konden drijven.

'Dat mens was gek,' probeerde ik iets op de beschamende vertoning af te dingen.

'En toch geloof ik dat als jij niet zo bang was geweest...'

'Ja hoor, dan had dit een te gek dagje kunnen worden,' viel ik Martijn in de reden. Eigenlijk maakte hij me ontzettend boos. Iedere keer weer opnieuw proberen mij de schuld in de schoenen te schuiven. Ik hield me in.

'Inderdaad.' Martijn gaf niet op. Hij merkte niets van mijn woede.

'Jij bent gek en dat mens is helemaal hartstikke knettergek.'

'Toch had er meer ingezeten.'

'Oké, Martijn. Door mij ben je niet ontmaagd vandaag. Sorry, sorry. "Het" duurt nog even.' Ik bleef het spelletje maar meespelen. Toch voelde ik me heel onzeker door zijn grapjes.

Het was even stil. Ik lag op mijn buik te kijken naar de kinderen die langs de waterkant speelden. Het langzame op en neer deinen maakte me loom. Plotseling werd ik overmand door een al lang verdrongen gedachte.

'Ken jij veel gezinnen met twee kinderen?' vroeg ik quasi nonchalant.

'Wat is dat nou voor vraag?' reageerde Martijn bits.

'Zo maar, ik vraag het gewoon.'

'O, zomaar. Even denken.'

Hoe beter ik keek, hoe meer gezinnetjes met twee kinderen ik ontdekte. Ik schrok, maar bleef stoïcijns voor me uit turen. Martijn mocht niets merken.

'Ja, best wel. De meeste ouders willen twee kinderen,' klonk het opeens gedecideerd.

'Is dat zo?' Ik voelde mijn hart in mijn keel tekeer gaan.

'Ja, als ik zo om me heen kijk. Tante Memmen en oom Eppo hebben er twee, jouw ouders ook en de mijne. Alhoewel, mijn moeder wilde eigenlijk drie kinderen, maar dat lukte niet.'

'Wàt?' Ik richtte me als door een slang gebeten op en tuimelde bijna van mijn luchtbed. 'En dat zeg je nu pas! Waarom heb je me dat nooit gezegd?'

'Nou zeg, alsof dat zo belangrijk is. Wat interesseert jou het nou hoeveel kinderen mijn ouders wilden?'

'Dat ga ik jou niet aan je neus hangen.'

'Al zouden jouw ouders er tien willen. Wat maakt mij dat uit?'

'Jou niet, nee.'

'Maar wat is er dan? Doe niet zo moeilijk, man. Ik begrijp er niets van.'

'Nee, inderdaad, daar begrijp jij niets van.' Waarom begreep Martijn me niet? Moest ik hem nu vertellen wat ik twee jaar geleden had ontdekt en waar ik met niemand over praatte? Is dit nou een goede vriend? Dit lefgozertje dat niets klaarmaakt bij meisjes, maar wel continu opschept en mij probeert af te zeiken. Deze zogenaamde vriend stond het dichtst bij me en toch leek het of hij van een andere planeet kwam. Mijn luchtbed stootte tegen een knalgele boei. Onder de plastic bal hing een nylon touw dat verdween in de peilloze diepte. Het zat waarschijnlijk vast aan een zware steen die doodstil op de bodem lag. Door het heldere water kon ik het touw ver onder mij volgen tot het in een donkergroen waas oploste.

Opeens voelde ik me overvallen door een oceaandiepe leegte. Mijn hart bonkte bloed door mijn slapen en hoe verder ik het touw trachtte te volgen hoe harder het suizen in mijn oren aanzwol. Ik duwde de zijkant van Martijns luchtbed naar beneden. Hij was hier totaal niet op bedacht en ging meteen koppie onder. Zonder me te bedenken sprong ik bovenop hem en trok zijn hoofd ruw onder water. Ik voelde hem spartelen. Hij vocht voor zijn leven en ik had het in mijn hand. Voordat ik hem losliet, genoot ik nog even. Proestend kwam hij boven met een rood hoofd en ogen vol ongeloof. Ik kon niet zien of hij huilde. Sputterend sprak hij met onvaste stem.

'Godverdomme. Klootzak. Wat doe je? Ik snap helemaal niets van jou. Lul. Ik ga meteen mijn vader bellen. Ik blijf hier geen dag langer met zo'n debiel. Jezus!' Hij klom moeizaam op zijn luchtbed en peddelde naar de kant. Ik zei maar niet dat we toch de volgende dag al naar huis zouden gaan.

Hoestend liep Martijn uit het water met mij aarzelend achter zich aan. Twee meisjes kwamen als een geschenk uit de hemel op ons af. Zij waren het enige dat deze situatie kon redden.

'Hallo, wij zijn Suzanne en Ellen,' boden zij hun bikinilijven met een kokette blik op een presenteerblaadje aan. Na een kort babbeltje nodigde ik de twee uit om 's avonds bij onze tent wat te komen drinken. Ik was hoogst verbaasd over mijn eigen doeltreffendheid. Terwijl we met onze luchtbedden onder de arm het meer achter ons lieten, ging Martijn, alsof er niets was gebeurd, op de oude voet verder.

'Lekkere wijven zeg, vooral die grote is een stuk.' Ik was al lang blij dat hij met geen woord repte over mijn absurde actie. 'Maar goed, het is tenminste wat.

Door jou spelen we al de hele vakantie met kinderen.'
'Welke neem jij? zei ik zo vriendelijk mogelijk.
'Ik neem die grote wel,' reageerde Martijn stoer. Ik liet hem
graag zijn gang gaan.

De volgende ochtend werd ik wakker van een
kinderstemmetje.
'Hé, Martijn, waarom lig jij buiten? Heb je ruzie met
Michiel?'
Hoofdpijn. Teveel goedkope wijn. Het was weer op niets
uitgelopen vannacht. Ik opende mijn ogen, zag dat ik alleen
in de tent lag en riep naar Anoukje:
'Nee, laat Martijn maar. Hij had het heet vannacht.'

Martijns vader stond, zoals twee weken eerder afgesproken,
klokslag elf voor de ingang van de camping.
'Kom op, jongens, gooi die spullen achterin. We rijden nog
een stukje verder naar het zuiden. Hebben jullie het leuk
gehad.'
'Ja, hartstikke,' klonken we in koor. Ik keek onderzoekend
naar Martijn die voorin was gaan zitten. Hij negeerde me
volledig.
'Leuke meisjes?' vroeg oom Henk, terwijl hij jolig over zijn
schouder naar mij knipoogde.
'Het ging wel,' antwoordde Martijn snel. "Het" ging
helemaal niet, dacht ik. "Het" is er weer niet van gekomen.
Om nog maar te zwijgen van wat mij de dag hiervoor had
bezield.
'Hoe is 't met mama?' vulde Martijn snel de pijnlijke
stilte.
'Gaat wel,' reageerde Martijns vader afstandelijk. Waarna
hij opeens vrolijk uitriep: 'Goed, daar gaan we. We maken
er een mooie dag van.'

Op het schiereiland Sirmione maakte oom Henk een foto. Twee stoere jongens onder een Romaanse boog met daarachter het meer. Zonnebrillen, spijkerbroeken met opgerolde pijpen en brede riemen, slippers en strakke T-shirts. Armen over elkaars schouders, alsof we een fantastische tijd hadden meegemaakt, alsof we spannende jongensgeheimen deelden. Martijns vader had geen flauw benul hoe vals het plaatje was dat hij schoot.

4. Yvon

De tv fungeerde thuis als bliksemafleider. Zolang we samen naar het kastje keken, konden we geen ruzie krijgen. Dus volgde ik met mijn vader de cowboys van Bonanza als mijn moeder stond te koken en verheugden mijn ouders zich tijdens het eten al op een knus avondje voor de buis. Gezellige spelletjes en mooie series hielpen goed een schijn van harmonie in stand te houden. Zolang het nergens over ging, kon het ook geen toestanden opleveren.

Maar het apparaat met twee zenders in zwart-wit werd meer en meer een bron van onrust en ruzie. Op een avond had mijn zus Hannah een programma aangezet dat niet van de 'gezellige' omroep was, waar mijn ouders altijd naar keken. Toen het bijna was afgelopen, kwam een vrouw die een krant zat te lezen in beeld. Eerst zag je een *close-up* van de krant. Langzaam zoomde de camera uit en liet de vrouw het dagblad zakken. Ze keek me nonchalant, koel en brutaal tegelijk aan. Mijn ouders waren met iets anders bezig. De plotseling ingevallen stilte deed hen nietsvermoedend naar de tv kijken. Het volgende ogenblik leidde tot grote consternatie. De vrouw zat naakt in een grote rieten stoel. N-A-A-K-T O-P T-V. Blote borsten! Ik wist niet waar ik moest kijken. In ieder geval niet naar de tv. Hannah leek vooral verbaasd en zei spottend: 'Nou, nou.' Mijn moeder beende zonder iets te zeggen naar de keuken. Een fractie van een seconde bleef het ijzig stil in de kamer. Mijn vader staarde met grote ogen naar de vrouw, die onze huiskamer overspoelde met een blik alsof ze zeggen wilde: wat kijken jullie nou?

Wat is hier in hemelsnaam zo bijzonder aan? Pas toen ze niet meer te zien was, brulde hij woest tegen de beeldbuis: 'Godverdomme, stelletje gore viespeuken, en dan ook nog een christelijke krant daarvoor gebruiken. Wat een tuig!' en tegen mij: 'Naar bed jij en gauw.' Mooi, hij kon me op dat moment geen groter plezier doen.

In de eerste week van het nieuwe schooljaar wakkerde een gerucht het vuurtje van mijn verlangen aan. De eerste-blote-borsten-op-tv-omroep zou weer bloot gaan uitzenden. Dus ging ik die avond netjes op tijd naar bed en zette ik stiekem mijn oude *Nordmende*-tv aan. Binnen de kortste keren renden inderdaad naakte vrouwen over het scherm. Dit keer niet alleen van boven, maar helemaal bloot. Je kon alles zien. Schaamhaar. De eerste keer dat ik bewegend schaamhaar had gezien was jaren geleden met Willem op het dak bij de begraafplaats. Ver weg, achter beslagen glas. En nu zo dichtbij, zonder iets te raden over te laten. Ik wilde net uit bed stappen om voor de buis te knielen toen ik voetstappen op de trap hoorde. Snel zette ik de tv uit. Ik had voor dit soort situaties een schakelaartje in het verlengsnoer gemonteerd, zodat de tv vanuit mijn bed aan- en uitgezet kon worden. Helaas duurde het bij die oude beeldbuizen lang voordat ook het laatste puntje midden op het beeldscherm uitgegloeid was. Hannah stormde mijn kamer binnen, zag het puntje en had meteen door waar ik naar lag te kijken. Ik schrok me rot en voelde mijn hoofd gloeien.

'Kom jij dat maar eens beneden vertellen aan papa en mama.'

Met een diepe zucht en een loeihete kop stapte ik uit bed en sjokte achter Hannah aan. Bang voor wat komen ging In de woonkamer stond de tv op de andere zender.

45

Een gezellig spelprogramma, waar ik inmiddels een pesthekel aan had gekregen.

'Wat is er aan de hand?' vroeg moeder geschrokken. Ik keek van mijn moeder naar mijn vader en weer terug. Ik zag mijn moeder weer op de rand van mijn bed zitten. Een verlammend schaamtegevoel maakte zich van me meester. 'Nou, geef je moeder eens antwoord.' Mijn vader klonk ongeduldig. Op de tv applaudisseerde het publiek enthousiast.

'Onze Michieltje lag nog tv te kijken,' wilde zuslief wel even helpen. Wat een smerige rotstreek. Waarom?

'Oh, echt waar Michiel, zo laat nog?' reageerde moeder naïef als altijd.

'En naar welk programma keek je eigenlijk, Michiel?'

'Wat ben jij een trut, Hannah! Kom je hiervoor naar huis? Ik kan je missen als kiespijn. Blijf liever in Amsterdam,' schreeuwde ik.

'Michiel, doe niet zo lelijk tegen je zus.' Altijd netjes blijven, was mijn moeders devies.

Natuurlijk begreep mijn vader het als eerste.

'Michiel, je wilt toch niet zeggen dat jij naar dat schunnige programma op het andere net hebt gekeken?'

Nog voor ik hier wat tegenin kon brengen, barstte mijn moeder in snikken uit. Zo zou je dat althans bij iemand anders noemen. Mijn moeder stootte eerder een soort diepe keelklanken uit, die meer weg hadden van ingehouden gegrom dan van een eruptie van verdriet. Ik had haar wel vaker zo zien huilen, maar dat was altijd als ik 's ochtends onverwachts de woonkamer binnenkwam. Mijn moeder huilde nooit met anderen in de buurt. Niemand mocht haar zo zien.

'Wat is er, mam?' vroeg Hannah poeslief.

'Laat je moeder maar even, schat. En jij, onmiddellijk naar boven. Morgen hoor je wel welke straf je krijgt voor die viespeukerij van je.'

'Dames en heren in de zaal en kijkers thuis. Ik hoop dat u net zo genoten heeft als wij. Tot de volgende keer,' sprak het minzaam lachende hoofd op de tv.

Ik wilde net aanstalten maken toen mijn moeder opeens zachtjes door haar tranen piepte:

'Moet je horen wie het zegt, hypocriet. Ga je schamen.'

Ik keek vragend naar Hannah.

'Niet nu met de kinderen erbij, Gonny.'

'Oh nee? Mogen jouw kinderen niet horen wat een fijne vader ze hebben?' Het weerwoord klonk helder.

'Gonny. Alsjeblieft. En gaan jullie nou maar naar boven. Je ziet toch dat mama helemaal overstuur is?'

Hannah leek er lol in te hebben mij voor schut te zetten. Iedere keer als ze een weekend thuiskwam, deed ze iets wat een knallende ruzie teweegbracht. Mijn moeder leek een zenuwinstorting nabij. Mijn vader vloekte en raasde om iedere futiliteit, maar kalmeerde daarna meestal snel. Hij kon een gesprek van het ene op het andere moment opgewekt over een andere boeg gooien, alsof er niets aan de hand was. Mijn moeder bleef dan achter met rode vlekken in haar hals van opgekropte nervositeit. En nu had zij hem uitgemaakt voor hypocriet. Ik wist niet wat dat precies was, maar het klonk niet best en hij moest zich gaan schamen. Hij ook. Ik raakte meer en meer in verwarring. Wat was dit voor gezin? Moest ik van deze mensen houden? Van dat stelletje idioten. Ik wilde maar één ding: weg.

Met Martijn had ik niet veel contact meer. De vakantie was voorbij, Martijn zat op een andere school, speelde niet bij dezelfde hockeyclub als ik en het zeilseizoen was afgelopen. Onze vriendschap was bekoeld, ook al repte Martijn met geen woord over mijn absurde actie.

Hij belde na de vakantie twee keer op: om zijn verdriet over het vertrek van Cruijff naar Barcelona te melden en tien dagen later om te juichen voor de hockeyheren die wereldkampioen waren geworden.

'Zie je wel, ik heb het gezegd. Voor het eerst in de geschiedenis! Ik zag het aankomen,' brulde hij door de telefoon. Toen Martijn eindelijk bedaard was, kwam ik gauw met iets anders, bang dat hij alsnog op het vreemde gebeuren terug zou komen.

'Hé Martijn, ik heb een goed boek gelezen.'

'Ja, Turks Fruit zeker. Dat moet ik nog halen in de bieb. Of kan ik beter naar de film gaan?' Hij hapte.

'Nee, dat bedoel ik niet. Het heet "De donkere kamer van Damocles". Je weet niet wat je meemaakt. Ik zei tegen mijn moeder dat ik me niet goed voelde, bleef in bed en las het in twee dagen uit.'

'Waar gaat het over dan?'

'Ja, dat is moeilijk uit te leggen. Een ingewikkeld verhaal over iemand met een dubbelganger tijdens de oorlog,' begon ik dankbaar.

'Alweer over de oorlog? Het lijkt wel of al die boeken die je voor je lijst moet lezen over de oorlog gaan.'

'Dat weet ik niet. Ik heb verder nog niks gelezen, maar dit is een spannend boek. Vooral het begin is zo retegoed dat ik niet meer kon stoppen.'

'Oké, vertel maar,' zei Martijn joviaal.

'Nou de hoofdpersoon is in het begin twaalf. Hij gaat bij een tante en oom in Amsterdam wonen, omdat zijn moeder naar een inrichting gaat als ze zijn vader heeft vermoord.'

'Gezellig,' grapte Martijn. Ik probeerde de spanning op te voeren.

'Die oom en tante wonen midden tussen de hoeren...'

'Nog gezelliger.'

'...en hebben een dochter.'

'Zijn nichtje,' deed Martijn attent mee.

'Ja en dat nichtje is zeven jaar ouder. Ze zijn allebei eigenlijk een beetje zielig. Hij heeft geen ouders meer, tenminste geen vader en z'n moeder zal hij voorlopig niet meer zien. En zij is lelijk en veel te mager. En hij is ook nog te klein doordat hij te vroeg is geboren.'

'Nou, wat een zielige bedoeling,' zei Martijn opeens een stuk minder belangstellend.

'Nee, luister nou. Binnen de kortste keren gaan ze met elkaar naar bed, dat jongetje van twaalf met zijn nichtje van 19.'

'O, daarom vind jij het zo interessant.'

'Nou, jij niet dan? Ik heb nog nooit zoiets gelezen. Eén zin weet ik nog precies: "Zij gaf hem een kus en duwde haar onderlijf tegen hem aan".'

'Zo, zo, dat zou jij ook wel willen. Ben je al naar Turks Fruit geweest?'

'Nee.'

Met Martijn kwam ik geen stap dichter bij "het". Veel woorden, maar niets te beleven. En zelf maakte ik ook weinig klaar, terwijl de hunkering zo langzamerhand onverdraaglijk werd. Dus vestigde ik mijn hoop op een jongen die was blijven zitten in de derde. Ik kende Victor vaag van de hockeyclub, maar we hadden nooit in hetzelfde elftal gezeten. Sinds ik was gaan keepen, zat ik altijd in het hoogste team voor mijn leeftijd. Victor hockeyde heel matig en speelde in veel lagere regionen. Het ging hem niet om de sportieve prestatie. Victor was populair op school en voelde zich helemaal thuis in het hockeywereldje dat ik brallerig vond, maar waar ik toch zo graag bij wilde horen. Om een voor mij onbegrijpelijke reden mocht hij me wel.

49

Het leek alsof hij me wilde helpen toen hij vroeg of ik meeging naar een feest bij de roeivereniging. Niet dat hij roeide, maar 'de feesten zijn altijd goed bij Tromp'.

Om in de juiste stemming te komen en om niet thuis te hoeven zijn, ging ik eerst bij Victor langs. Voor vertrek dronk ik in de keuken een flinke beker melk. Martijn had mij eens verteld dat je dan beter tegen alcohol kon.

'Michiel, waarom sta jij stiekem zo veel melk te drinken voor je naar dat feest gaat?' Hannah stond in de deuropening.

'Bemoei jij je nou eens één keer niet met mijn zaken.'

Ze riep met een pesterige stem naar boven. 'Mam, Michiel laat zich vollopen met melk. Waarom zou hij dat doen vlak voordat hij naar een feest gaat?'

'Trut,' siste ik tussen mijn tanden.

'Roep je mij, Hannah?' klonk het van boven.

'Laat maar, mam. En Michiel, heb je nog sigaretten voor me.' Het was niet de eerste keer dat ze me chanteerde.

'Weten papa en mama wel dat hun zoontje rookt?'

'Ik heb geen peuken meer.'

'Nee, dat zal wel. Nou vooruit voor deze keer. Een fijne avond en niet te laat thuis komen hoor.'

Zo, en nu feest.

Even later stond ik samen met Victor aan de bar te roken. Het was nog niet druk.

'Moeten we door die stomme ouders van jou hier zo vroeg zijn. Dankzij jou sta ik voor lul,' wreef Victor zout in mijn wond.

Toen ik bij Victors huis aangekomen was en meteen had bekend hoe laat ik thuis moest zijn, had Victor chagrijnig gezegd dat we dan maar direct moesten vertrekken.

'Ja, kan ik er wat aan doen dat ik al om twaalf uur thuis moet zijn?' vroeg ik verongelijkt.

'Als je maar niet denkt dat ik dan ook al ga,' reageerde hij bot.
'Je doet maar.' Ik begon een flinke hekel aan hem te krijgen. Hij mocht alles en deed gewoon waar hij zin in had. Ik stond aan de grond genageld toen Victor thuis met een sigaret in zijn hand naar zijn moeder schreeuwde: 'Heb je verdomme mijn overhemd niet gestreken?' Victor toonde voor niemand respect en was een grote egoïst. Toch had ik ontzag voor hem. In tegenstelling tot Martijn zag het er bij Victor naar uit dat hij niet alleen praatte over "het".
'Hé, wat sta je nou te dromen. Hier, als je deze in een teug leeg drinkt, betaal ik.' Aan geld had hij ook al geen gebrek. Ik pakte het flesje Heineken aan, zette het aan mijn mond en voldeed aan de voorwaarde voor gratis drinken. Na dit ritueel twee keer herhaald te hebben, was de feestruimte aardig vol. Mick Jagger zong *'I can't get no satisfaction'*. Tijdens *'Under my thumb'* grijnsde Victor. Wat bedoelde hij? Jij zit bij je ouders onder de duim. Of: ik heb jou lekker onder mijn duim. In ieder geval niet dat ik een meisje onder mijn duim had. Van enige 'satisfaction' was geen sprake.
Het kwartiertje Stones werd afgerond met *'Sympathy for the devil'*. Dansen durfde ik nog niet. Met een sigaret in de hand gaf ik mezelf een houding. Ik wist nooit waar ik mijn handen moest laten als ik stond. Dat was misschien wel de belangrijkste reden om te roken. Ik probeerde mee te zingen, terwijl ik me afvroeg wat de tekst eigenlijk betekende. In ieder geval ging het over een ontmoeting. Dat was een goed voorteken. Maar hoezo 'de natuur van mijn spel'?

Pleased to meet you
Hope you guess my name
But what's puzzling you
Is just the nature of my game

51

Victor stapte op een meisje af dat met een vriendin binnenkwam. Hij zei iets in haar oor. Deed hij dat wegens de harde muziek of omdat ik het niet mocht horen? Ik raapte al mijn moed bij elkaar en waagde mijn eerste passen op de dansvloer, alleen. Het meisje kwam meteen naar me toe. Ze sloeg een arm om mijn schouder en schreeuwde door de muziek heen.

'Zo, ik hoorde dat je mij leuk vindt.'

Ik schrok. Wat een smeerlap. Maar door de drank was ik ook wat overmoedig.

'En als Victor deze keer nou eens niet zou liegen?'

Ze heette Yvon en zat vorig jaar bij Victor in de klas. Terwijl ze dit uitlegde, hield ze mijn schouders vast, brulde in mijn oor en kwam steeds dichterbij. Plotseling voelde ik haar borsten tegen mijn borst drukken en schreeuwde ze:

'Zal ik je eens wat vertellen? Ik vind jou veel leuker dan Victor.'

Zo, die wond er geen doekjes om. Ik lachte zenuwachtig. Zou ze dat merken? Opeens dreunde *Born to be wild* uit de geluidsboxen. Overdreven hard zong ze de titel van het nummer mee. Was dat op haar van toepassing? Ze was wel aardig, had een enorme bos wilde haren, maar ze was bepaald niet je van het. Ik moest gauw kiezen. Duidelijk laten merken dat ik haar niet bijzonder vond of dat ik blij was met deze ontboezeming en haar een tongzoen geven? Victor zou me om beide reacties uitlachen. Geen actie: 'Durfde je weer niet, ik had zo m'n best voor je gedaan.' Wel actie: 'Nou, nou, wat een stuk zeg. Jij weet ze wel uit te zoeken.'

Ik redde de situatie voorlopig even met een afgezaagd: 'Heb jij het ook zo warm? Zullen we even naar buiten gaan?' Uitstel. Naar buiten gaan kon nog van alles betekenen. Yvon kneep haar ogen ietsje samen, keek me onderzoekend aan, pakte mijn hand en zei giechelend: 'Ja, kom.'

Buiten nam ze het initiatief volledig over en trok me een loods in. Tussen de glimmende, dik gelakte boten liet ze me geen tijd om iets te zeggen en zoende me hard op mijn mond. Dit was niet wat ik wilde, maar ik wist niets te zeggen. Dus beantwoordde ik haar wilde tongzoen. Ruw duwde ze haar tong tussen mijn tanden en zoog daarna mijn tong in haar mond. Ondertussen snoof ze briesend als een paard door haar neus. In de verte hoorde ik dat het romantische schuifelblokje was begonnen.

Angie, Angie
When will those clouds all disappear?
Angie, Angie
Where will it lead us from here?

Ze drukte haar borsten stevig tegen me aan en bleef doorzoenen en snuiven. Voelde ik kwijl langs mijn kin lopen? Met moeite wist ik me uit haar wurggreep los te maken. Aangezien iets zeggen het enige alternatief was, legde ik mijn mond in haar hals. Met een onverwachts diepe, donkere stem hijgde ze in mijn oor: 'O, wat zoen jij lekker.' Ze begon met haar heupen tegen me aan te rijden. Ik streelde mechanisch haar rug, plukte quasi ondeugend aan een bh-bandje en voelde langzaam een erectie groeien. Yvon reageerde meteen met haar hese stem.
'Kleed je me uit, lieverd?' En tegelijkertijd pakte ze de gesp van mijn riem.
Club '69. Kirana. Wegwezen! Hoe laat was het? Dat ik om twaalf uur thuis moest zijn, was een geschenk uit de hemel. Ik speelde dat ik plotseling uit een droom wakker schudde. 'O nee, ik moet weg, anders mag ik volgende week niet uit.'
Yvon verstoord: 'Wanneer zie ik je weer, lieverd?' Haar stem klonk slaperig, schor. Lieverd, bah.

Die zoete blik, bah, bah, bah.

'Gauw,' en weg was ik. Victor zag ik niet meer, maar dat interesseerde me niet. Ik had dit allemaal aan hem te danken.

Vlak voor het begin van de eerste les op maandagochtend kwam Victor op me toelopen.

'Zo, was je netjes op tijd thuis?'

Ik was meteen op mijn hoede. 'Ja hoor. Ik kan zaterdag weer gewoon uit.'

'Nou gewoon, tot twaalf uur bedoel je?'

'Ja, ik ben bang van wel.'

'Wat een leut. Hoe ging het eigenlijk met Yvon? Zij wilde niets zeggen toen je opeens was verdwenen. Wat hebben jullie in die loods uitgespookt?' Hij had een kleinerend toontje in zijn stem.

'Ach, niet zo veel. Ik geloof dat ik haar niet zo leuk vind.'

'Dat kan ik me voor stellen. Veel soeps is het niet, maar altijd nog beter dan niks. Als er maar een gat in zit.'

Wat een naar mannetje. Als het zo moest, hoefde het van mij niet. Ik haalde mijn schouders op. 'Ik weet niet,' zei ik om iets te zeggen. Ondertussen kookte ik van binnen en baalde ik van mezelf. Waarom durfde ik hem verdomme zijn huid niet vol te schelden?

In de pauze keek Victor geheimzinnig om zich heen, terwijl hij weer naast me kwam staan. We stonden buiten te midden van een flinke groep rokende leerlingen. Hij pakte een sigaret over in de linkerhand, stak zijn rechter wijsvinger op, rook eraan en boog zich grinnikend naar me toe. 'Weet jij wat ik die avond tot half vijf met Yvons vriendin heb gedaan?' Victor keek samenzwerend en minachtend.

'Nee, en ik hoef het niet te weten ook.'

Hij had altijd van die onwaarschijnlijke, opschepperige verhalen. Ik vertrouwde hem voor geen meter en ik had de pest in dat ik nooit kon bewijzen dat het niet waar was wat Victor allemaal rondbazuinde.

Een jongen uit onze klas passeerde. Hij droeg een lange, slobberige, wollen trui en grote, zware schoenen. De spijkerbroek was vaal en op de ergste slijtageplekken waren lappen genaaid. Het lange haar was niet gekamd. Ik richtte dankbaar mijn aandacht op hem. 'Hé, Tobias, was je 'ns een keer op tijd vanochtend?' De jongen negeerde Victors aanwezigheid totaal en zei vriendelijk tegen mij: 'Ja, ik zal wel moeten. Ik moest vorige week drie keer om acht uur komen. Tot zo.' En hij sjokte verder.

'Ja, 'k zie je.'

'Dat is die eikel die laatst helemaal in het zwart op school kwam,' spuugde Victor giftig.

'Ja, en weet je ook waarom?' reageerde ik, verbaasd over de heftigheid waarmee ik die woorden toebeet.

'Omdat ze die communist in Zuid-Amerika hadden doodgeschoten.' Ik zag aan Victors blik dat hij schrok van mijn uitval. Ik deed alsof ik Victors antwoord niet had gehoord.

'Hij had op zijn zwarte T-shirt geschreven dat de Amerikanen op 11 september de president van Chili hadden vermoord.'

'En dat de VS ooit nog eens op die datum gestraft zouden worden. Die lul is gek.'

'Ik weet niet of het waar is dat de Amerikanen achter die staatsgreep zaten, maar ik vind het heel dapper van Tobias. Bijna iedereen vond het belachelijk wat'ie deed en toch is hij de hele dag zo blijven lopen.'

Het was me opeens duidelijk. Nu het hockeymilieu via Victor eindelijk binnen mijn bereik kwam, voelde ik een enorme aversie tegen Victor Kak en de zijnen.

'Het blijft een eikel,' zei Victor alsof de discussie daarmee in zijn voordeel was beslecht. Hij gooide zijn sigaret op de grond, trapte hem venijnig uit en draaide zich om. Op dat moment barstte ik open en riep hem na met een zo bekakt mogelijk accent.

'Allez Laaiiiren, laat het net vibrèren. Druk een punt, er zit geen kak aan de bal! Bal! Kakbal! Klootzak!' Tientallen leerlingen keken me vragend, en sommigen zelfs vijandig, aan. Victor stond me volkomen verbouwereerd aan te kijken. Ik zag niemand die ik goed kende en voelde me eenzaam. Als iemand wat zou zeggen, zou ik hem naar zijn strot vliegen.

'Kijk voor je allemaal en bemoei je met je eigen zaken,' schreeuwde ik zonder een greintje schroom. Dit gevoel kende ik niet van mezelf. Met opgeheven hoofd liep ik naar de ingang van het schoolgebouw.

'Jullie bekijken het allemaal maar. Het zal me worst wezen. Ik heb niemand nodig,' mompelde ik.

5. Pinky

Binnenstebuiten

De buitenkant
Gaat wel, niemand die wat ziet
Maar niemand
Heeft naar binnen gekeken
Niet dat ik binnen laat kijken
Liever lik ik mijn wonden
Bang voor de anderen
Help

'Hoeveel uur hebben we nog?'
'Alleen wiskunde, een blokuur.'
'Twee uur Heertje en dan vier dagen vrij.'
'Yes.'
Ingrid en ik namen tegelijk een trek van onze zelf gerolde
sigaretten. Ingrid zat net als Victor en Tobias bij mij in
de klas. Ze had een stralend gezicht met veel puistjes.
Verder zag ze er nogal saai uit met haar piekerige haar en
onopvallende kleren.
Het regende flink hard, maar we stonden droog op het
overdekte bordes. De lucht was grauw en grijs. Het voorjaar
liet weinig van zich zien.
'Hé Chieltje, wat zei Hein-Jan Jelgersma net tegen je?' Ingrid
keek belangstellend. Ik had het gevoel dat ik werd betrapt,
al vond ik het prettig dat ze mijn koosnaam gebruikte.

Ik probeerde zo onverschillig mogelijk te klinken.
'O, die. "Je stinkt."'
'Wat?' riep ze verontwaardigd.
'Nou, ik groette hem en toen zei hij alleen "Je stinkt" en liep door.' Haar aandacht voelde als een heerlijk warm bad. Toch hield ik haar op afstand.
'Jakkes, wat een nare jongen, dat zeg je toch niet tegen iemand.'
'Hij wel.'
Tobias en Alexandra, ook een klasgenote, kwamen naar buiten. Ik had hen nog niet opgemerkt, toen ik van Tobias een harde klap op mijn rug kreeg.
'Hé Michiel, doe toch niet zo wijs met dat sjekkie.'
Alexandra had een stoer, beetje jongensachtig koppie. Tobias noemde haar daarom altijd liefkozend Alex. Ik hield van haar lange, donkere haar, maar had moeite met de kleren die ze droeg. Die waren altijd net fout en een tikje armoedig. Ik verslikte me in de rook, hoestte en hapte roggelend naar adem. De tranen sprongen in mijn ogen.
'Zie je wel, nou moet je er ook nog van huilen.'
Tobias was blind aan een oog. Hij leek er niet mee te zitten. Als hij met voetballen weer eens volkomen mis trapte, lachte hij zelf altijd het hardst. Ik keek tegen hem op. Vorige week vertelde Tobias plompverloren dat hij iedere dag in een sok masturbeerde en dat die sok keihard was als hij hem na een paar dagen in de was gooide. Nooit, maar dan ook helemaal nooit, zou ik zo een verhaal durven te vertellen.
De volgende dag betrok Tobias me helaas bij zijn openhartigheid. Op een stampvolle schooltrap had hij een seksblaadje hooggehouden en het met de woorden: 'Hier Michiel, dit wilde je toch lenen?' aan me gegeven. Ik dacht dat ik doodging. Stotterend, zwetend en blozend rukte ik het uit zijn hand en stopte het snel in mijn tas.

Ondanks Tobias' botte opmerkingen en grappen vond ik hem heel aardig. Er zat echt geen greintje kwaad in die jongen. Met dat seksblaadje wilde hij me niet voor paal zetten. Het had eerder iets van: kom op, niet moeilijk doen, laat ze maar denken.

'Jesus Tobias, doe nie so flauw.' Alexandra praatte plat vergeleken met de anderen en was heel slim. Voor mij was dat een vreemde combinatie.

'O ja hoor, daar hebben we tante Alexandra weer met haar sociale gedoe,' zei Tobias baldadig.

'Tobias, wat ben je toch een botterik.' Ingrid mocht dan wel verliefd op hem zijn, dat wilde niet zeggen dat ze alles van hem pikte. De liefde was niet wederzijds. Tobias zat daar behoorlijk mee in zijn maag, want hij was wel gek op haar. Hij zou Ingrid nooit kwetsen met zijn harde grappen.

Ik voelde me erg op mijn gemak met dit drietal. Echt afzeiken was er niet bij en het groepje had een soort zelfcorrigerend vermogen. Als iemand te ver dreigde te gaan, het maakte niet uit waarmee, werd hij door de anderen teruggehaald. Het waren nog niet echt vrienden van me, maar het leek erop dat ze me in hun groepje wilden gaan opnemen.

'Weet je wat die Jelgersma tegen Michiel heeft gezegd?'

'Nou?' Tobias klonk niet erg geïnteresseerd.

'Je stinkt!'

'Ach, hij stinkt zelf. Naar kak.' Strontjaloers was ik op het gemak waarmee Tobias zo ad rem kon zijn. Altijd recht voor z'n raap; nooit al van te voren stilstaand bij mogelijke gevolgen van zijn woorden.

'Ja, het is een kakbal, net als die Victor,' oordeelde Alexandra bevestigend. 'Maar Michiel, jouw vriend Victor gaat toch met Jelgersma om?'

'Nou ja, ze kennen elkaar wel, geloof ik,' beaamde ik schuchter.

'Leuke vriend,' zei Alexandra sarcastisch.

'Ik zie Victor al maanden niet meer. Sinds die ene keer.' Aan het begin van het schooljaar hadden ze vanuit de verte mijn uitbarsting gehoord. Ze waren naar me toegekomen om me te feliciteren. Vooral Alexandra had een pesthekel aan Victor en 'zijn hockeywereldje', zoals ze dat noemde. Nu wilde ze blijkbaar even zeker weten waar ik stond.

'Beter,' zei ze met een tevreden glimlach.

Ingrid gooide het gesprek over een andere boeg. 'De komende dagen wordt het beter weer. Ze voorspellen zelfs zon. Kunnen we die zeilboot van je ouders niet lenen, Michiel?'

'Wanneer dan?' antwoordde ik schor. De vraag overviel me en mijn hoestbui was nog niet helemaal overgedreven.

'Bevrijdingsdag, een prima dag om te zeilen, toch?'

'Ja, Michiel,' viel Alexandra bij, 'Mag dat van ze of doen ze daar moeilijk over?'

'Nee, dat mag wel, denk ik.' Ik was blij met de mogelijkheid mijn zeilkennis te kunnen tonen. En misschien betekende dit voorstel wel dat ik vanaf dit moment bij hen hoorde.

'Gaat iedereen mee?' Alexandra keek het kringetje rond. 'Nou, nou, wat een enthousiasme.'

'Jaaaa!' brulde Tobias gemaakt, 'wat enig, doen we, een voor allen, allen voor een, internationale solidariteit.'

'Fijn Tobias, maar overdrijf niet zo en nu graag even geen politiek,' grinnikte Alexandra. 'Trouwens heeft iemand nog iets gehoord over dat gedicht in de schoolkrant.' Ik had net mijn peuk uitgetrapt, anders zou ik nu zeker gestikt zijn. De eerste bel zoemde hard boven ons.

'Die stomme bel altijd. Nee,' zei Ingrid. 'De rector zoekt uit van wie het is. Hij is zeker bang dat de dichter zelfmoord gaat plegen.'

'Ja, nogal wiedes,' reageerde Alexandra fel.

'Het is nog geen drie weken geleden dat dat meisje uit 2 havo een half buisje aspirine heeft geslikt. Haar maag is net op tijd in het ziekenhuis leeggepompt. Ze was bijna de pijp uitgegaan. In een briefje had ze geschreven dat ze niet kon leven met de absurde reactie van haar hele klas. Ze was toen in die roze overall met paarse laarzen naar school gekomen, gewoon, om een beetje te shockeren. Kutkinderen. Walgelijk.'

'Ze zag er ook wel een beetje raar uit,' probeerde Tobias het verhaal van Alexandra wat minder serieus te maken.

Alexandra reageerde niet op hem.

'Ze is opgenomen in een psychiatrisch ziekenhuis ergens in de duinen.'

'Zijn die leraren een beetje paranoia of zo?' Deze keer was Tobias heel serieus.

'Nou, niet voor niets, lijkt me. Ze hebben geen stront in hun ogen,' beet Alexandra hem toe. Zelfs Tobias wist dat hij nu beter kon zwijgen. Alexandra's zus deed dingen waar Alexandra niets van begreep. Ze stond bij iedereen bekend als slet. Het afgelopen jaar zou ze met meer dan vijftien jongens naar bed zijn geweest, ging de roddel door de school. Helaas was het niet alleen een roddel en al was die zus twee jaar ouder en schaamde Alexandra zich voor haar, ze verdedigde haar altijd.

De bel ging nogmaals.

'Kom,' zei Tobias, 'we gaan ons weer effe lekker laten afzeiken door die schoorsteen.'

Net als de rest van de klas waren we op tijd in het lokaal. Met Heertje viel niet te spotten. De wiskundeleraar stond rokend in de deuropening. Hij leek met satanisch genoegen te wachten op de leerling die net te laat kwam, zodat hij kon zeggen: 'Zo, ga jij maar even een briefje halen, hè?

61

Dat wordt morgen vroeg uit de veren, hè?' Dat lijzige 'hè?' iedere keer. Heertje was een sadist. Althans op school. Ik ging eens met Pim, Heertjes zoon, huiswerk maken. Wiskunde. Na het huiswerk mocht ik blijven eten. Pims oudere zus had spaghetti gemaakt met een lekkere saus, gehakt, tomaat, knoflook. Daarover moest ik geraspte kaas strooien, Parmezaanse. Ik had dit gerecht veel gezien in Italië, maar nooit gegeten. Heerlijk smaakte het. Tijdens het eten kon ik mijn ogen niet van Pims zus afhouden. De ouders waren bepaald niet knap, in tegendeel. Toch hadden ze een droomdochter geproduceerd, echt een stuk. De welving in haar trui beloofde veel. Toen ze zag dat ik zat te gluren, liet ze met haar hautaine blik weten dat ze totaal niet geïnteresseerd was in de vriendjes van haar kleine broertje.

Pims vader was onvoorstelbaar aardig tegen me. Hij vroeg hoe het met mijn ouders ging, welke hobby's ik had en of ik pas nog naar de film was geweest. Ik durfde niet te zeggen dat ik vorige week Turks Fruit had gezien. Mijn eigen vader was woest toen hij het hoorde. Ik mocht een maand niet meer naar de film.

Na het eten zei Heertje tegen Pims moeder: 'Het was weer lekker mam, zullen we een retje doen?' En net als in de klas pakte hij zijn rode pakje Pall Mall King Size, brak een lange sigaret zonder filter zorgvuldig in twee gelijke helften, liet beide stompjes branden met een aansteker en gaf zijn vrouw een gloeiend 'retje'. Ik keek met toenemende verbazing naar dit ritueel.

Met deze gedachten zag ik de sadist daar in de deuropening staan. Zichtbaar teleurgesteld sloot Heertje de deur en ging op een verhoging achter zijn bureau zitten. Hij had nog een halfje liggen, stak de brand erin en nam een trek. Op beide lippen had 'de schoorsteen' zwarte plekken, omdat hij zijn retjes altijd oprookte tot een peukje van niet meer dan een centimeter.

Mijn vader was net overgestapt van Caballero zonder filter op Kelly's halvaret met filter uit angst voor een hartaanval. Heertje was nergens bang voor. Iedereen was bang voor hem. Met bolle wangen blies de docent de rook uit. 'Zo, waar waren we gebleven.' Hij bladerde in het door mij zo gehate boek. 'O ja, Michiel, kom jij maar eens som 3b maken.' Ik kreeg een knalrood hoofd dat Heertje niet leek te zien. Met lood in de schoenen liep ik naar het grote middenbord. 'Nou, begin voor de zekerheid maar even op het Fröbelbordje, hè? Dat lijkt me verstandig, anders wordt het weer zo'n knoeiboel, hè?' Het was muisstil in de klas. Niemand wilde opvallen. Eén opmerking tegen je buurman en jij kreeg een beurt. Ik pakje een krijtje, hield het tussen duim en middelvinger en tikte met mijn wijsvinger denkbeeldig de as van mijn sigaret. Net op tijd merkte ik wat ik aan het doen was. Bijna had ik het witte staafje in mijn mond gestoken om er lucht uit te zuigen.

'Ik heb mijn huiswerk niet gemaakt, meneer.' Alsof hij niets had gehoord nam Heertje een laatste trekje. Hij hield de sigaret, of wat daar van over was, tussen duim en middelvinger en haalde met getuite lippen de rook naar binnen. Na diep geïnhaleerd te hebben blies hij de rook recht de klas in. Zijn lippen maakten daarbij altijd een typisch geluidje dat de leerlingen buiten in de pauze nadeden. Al zijn bewegingen, tot en met het uitdrukken van het minuscule peukje in de asbak, werden ademloos door de leerlingen gadegeslagen. IJzig rustig en achter in de klas nauwelijks verstaanbaar zei Heertje: 'Wat zeg je, leeghoofd?'

'Ik begreep er niets van, meneer.' Terwijl hij zijn hoofd wegdraaide en onverstoorbaar naar buiten keek, reageerde Heertje met een wonderlijke mix van minachting en nonchalance.

'Jou zien we helaas volgend jaar weer terug, hè?' Het 'hè' was dit keer nog meer langgerekt en lijzig dan anders. Hij vervolgde met een volkomen onverwachte stemverheffing. 'Nou, ga toch zitten, slappeling.' Om niet te laten zien dat de tranen in mijn ogen stonden, liep ik met het hoofd naar beneden terug naar mijn plaats naast Pim.

'Sorry,' fluisterde de zoon van.

'Wil de buurman soms ook nog even komen?' bulderde het door de ruimte.

'Nee, pà...meneer.' Pim wist dat hij de klos zou zijn als hij nog een keer iets zei. En al was hij veel beter in wiskunde dan ik, hij kon er op rekenen dat zijn vader ook hem zou vernederen. De les verliep verder zoals altijd. Heertje schreef het hele bord vol met uitwerkingen, terwijl je een speld kon horen vallen. Ik had vreselijk de schurft aan de onbegrijpelijke warboel van toverformules, die door de wiskundeleraar iedere keer met een zelfverzekerde luchtigheid werd afgerond met de woorden: 'hetgeen te bewijzen was'.

Deze keer besloot Heertje de les door op vriendelijke toon te zeggen: 'Vergeet je huiswerk niet in de vakantie.' Als je niet goed luisterde, was het net alsof hij zei: 'Voor de volgende les geen huiswerk. Prettige vakantie allemaal.'

Op de gang siste Alexandra kokend naar Pim: 'Wa'n lul vannun fader hè jij.' Ik onderdrukte een lachje. Niemand kon lulliger lul zeggen dan Alexandra. En ze had helemaal gelijk.

'Hij is niet altijd zo,' probeerde Pim.

'Jezus, als die eikel mij zoiets zou flikken....'

'Dat doet'ie niet bij meisjes,' viel ik haar in de rede.

'Dat durft die klootzak niet bij meisjes.'

Nu irriteerde ik me aan de platte uitspraak en haar groffe woorden. 'Het is wel zijn vader, hoor.

En dat durft hij niet bij jou, nee, omdat je hem altijd staat op te geilen.'

'Godverdomme, Michiel, ga je het nou op mij afreageren. Ik kan er ook niets aan doen dat hij de pik op je heeft.'

'Hij heeft niet de pik op Michiel,' legde Pim uit, 'Dit doet hij altijd als ik iemand mee naar huis heb genomen. Tegen mij doet hij ook extreem lullig in de klas.'

'Dat kan je wel zeggen, ja. Maar waar slaat dat nou op?' wilde ik van mijn wiskundevriend weten.

'Dat is heel simpel, Chiel. Kijk, zijn vader wil dat niemand het idee kan hebben dat hij zijn zoon of de vrienden van zijn zoon voortrekt. Toch, Pim?' hing Alexandra de psychologe uit.

Pim keek stuurs voor zich uit. 'Zou kunnen.'

'Die vader van jou slaagt daar wel goed in dan. Ik denk niet dat iemand op het idee komt dat hij mij voortrekt.'

Pim lachte. 'Nee, ik zal maar niet vragen of je morgen bij me langskomt, hè?' Hij kon het vreselijke 'hè?' van zijn vader heel goed imiteren. Ik moest lachen.

'Even niet nee.'

'O. Nou de ballen dan maar.'

'Ja, laat ze niet vallen.'

'Jezus, jongens, hou eens op met die ballen,' zei Alexandra streng.

'Liever niet,' antwoordden Pim en ik in koor.

'Ha, ha, wat zijn jullie leuk.'

'Ik geloof dat ik maar eens ga,' zei Pim en hij verdween in de meute.

Zonder iets te zeggen, staarde ik naar Alexandra, die nog wat stond na te pruttelen. Al leek ze dertien, we scheelden slechts een paar maanden. Toch best een leuk meisje. Ze kon bloedserieus en fel zijn, maar ik waardeerde haar eerlijkheid. Het zag er naar uit dat ik haar kon vertrouwen.

Alleen de taal die ze uitsloeg vond ik echt niet kunnen.

'Au!' Ik kreeg een schouderklopje, uiteraard van Tobias.
'Zo leeghoofd, wat een sterke show, zeg.'
'Tooop, doe toch eens normaal man. Jij durfde anders ook geen moer te zeggen,' nam Alexandra het voor me op.
'Nee, ik kijk wel uit bij die fascistische smeerpijp. Dat verlies je altijd. Oké, sorry Michiel. Hoe gaat het nou?'
'Best,' zei ik niet erg overtuigend.
'Kom op, mensen, het is vakantie. Over een paar dagen gaan we lekker zeilen, toch?' vroeg Alexandra om me wat op te monteren.
'Ja, dat moet lukken' antwoordde ik, 'Wie heeft er een peuk voor me?'
'Ik heb al een sjekkie voor je gedraaid,' zei Ingrid vlak achter me.
'Je bent te goed, Pinky,' zei ik lachend en ik meende het.
'Ga jij nu ook al Pinky tegen me zeggen?'
'Mag Tobias dat alleen dan?'
Ingrid reageerde niet op deze vraag. Ze drong zich door de mensenmassa naar buiten.

Op het bordes gaf ik Ingrid en mezelf een vuurtje. Alexandra en Tobias stonden bij een groepje niet-rokers.
'Je snapt niet waarom die Heertje ooit leraar is geworden. Dan moet je jongeren toch leuk vinden?' trachtte Ingrid te troosten.
'Hou maar op, ik heb het helemaal gehad met die zak.'
Geniepig ging ik verder. 'Hé, ben jij nou verliefd op Tobias of lijkt dat maar zo?'
Ingrid keek me argwanend aan. 'Valt dat op dan?'
'Nee hoor, helemaal niet. Je staat alleen altijd bij hem en je doet net alsof je zijn moeder bent.'

'Echt? O, dat vind ik vreselijk als andere meisjes dat bij een jongen doen. Doe ik dat ook?'

'Ja, dat doe jij ook en nog veel erger dan die andere meisjes,' plaagde ik. Heel even leek Ingrid uit haar evenwicht. 'Nee hè. Ah, wat ben jij gemeen. Het is zo al erg genoeg hoor. Of nee, je bent eigenlijk best lief.' Ze aaide over mijn arm. Ik verstijfde. Hopelijk merkte ze het niet. We namen tegelijk een trek en bliezen de rook opzij.

Ingrid was aardiger, liever, dan Alexandra. Ze was kwetsbaar en een tikje achterdochtig. Het grote verschil tussen ons was dat zij dat liet zien. Dat maakte haar juist sterk. Met een verlegen glimlach keek ik haar even recht in de ogen. Een ogenblik wisten we allebei niets te zeggen. Ik besefte dat ik niet verliefd zou worden op Ingrid, maar er was niemand bij wie ik me zo op mijn gemak voelde.

'Zo, wat staan jullie daar klef te doen.' Alexandra kwam aanlopen met Tobias achter zich.

'Dat valt wel mee, hoor,' verdedigde Ingrid zich.

'Moet je horen, Tobias, die twee stonden wel heel dicht bij elkaar te zwijmelen. En zoals ze keken. Ik weet het niet. Volgens mij is hier iets moois aan het groeien.'

'Oh, Xan, wat ben jij een......' Met natte ogen wendde Ingrid haar gezicht af.

'Pinky moet toch zelf weten wat ze doet? Voor mijn part staan ze hier te tongen,' was Tobias' poging om Ingrid te steunen.

'Jezus man, jij hebt ook het gevoel van een olifant. Zo maak je het alleen maar erger,' liet ik Tobias weten en gaf hem een duw. Ik stond verbaasd over mijn eigen lef.

'Hoezo?' vroeg Tobias onnozel.

'Ze is verliefd op je. Snap je dat dan niet? Ze wil niet met mij zoenen. Ze wil het met jou.' Terwijl wij aan het bekvechten waren sloeg Alexandra een arm om Ingrid heen.

67

'Kom op, meissie, er zijn veel meer leuke jongens.'
'Ja, maar hij doet zo stom tegen me. Moet ik net op zo'n botterik vallen.' Ingrid veegde haar wangen met de mouw van haar jas droog en zei lachend tegen ons drieën: 'Op bevrijdingsdag gaan we zeilen, ook al valt de regen met bakken uit de hemel. Zullen we bij jouw huis afspreken, Michiel?'
'Ja Michiel,' zei Tobias, 'stel dat je ouders het niet goed vinden, dan moeten ze het wel goed vinden, als ze ons voor de deur zien staan.'
'Het lukt heus wel. Zo erg zijn m'n ouders nou ook weer niet.'
'Des te beter. Om tien uur bij jou dan?'
'Ja, kom allemaal maar om tien uur bij mij en neem wel regenkleren mee, want anders word je zeiknat.'
'Goed kapitein. Hebben jullie het ook gehoord, dames?'
'Ja, ja en tot de vijfde,' zei Alexandra kortaf en ze trok Ingrid zachtjes aan haar jas. 'Kom, laat die rauwe zeebonken maar hier.'
'Dag,' zei Ingrid kortaf.
'Tot de vijfde,' antwoordde Tobias beduusd.

6. Alexandra

Het water klotste en kabbelde vrolijk tegen de houten palen. Tientallen zeilboten lagen haaks op de steiger te dobberen. Ik sprong behendig op het voordek van een van de boten, nadat ik mijn vrienden had gevraagd even te wachten. 'Ik moet eerst het dekzeil losmaken en naar achteren duwen. Anders liggen jullie meteen al in de plomp.'

Even was ik alleen met mijn gedachten. De vorige avond had ik het thuis pas durven aankaarten. Toen ik ons plan tijdens het eten op tafel legde, had mijn vader tot mijn grote verbazing gezegd: 'Natuurlijk knul, ga maar lekker zeilen met je vrienden. Er staat morgen een goed windje.'

Mijn moeder had haar bedenkingen. 'Wat zijn dat dan voor meisjes? Ik heb die namen nog nooit van je gehoord.'

'Ach, mam, laat die jongelui toch. Dat komt wel goed,' sneed vader haar de pas af. 'De BM is verplaatst. Dat weet je toch, hè?'

'Ja, pap.'

'Mooi, veel plezier.'

Mijn vader was trots op de houten zeilboot. Ieder jaar liet hij de boot uit het water takelen en naar zijn fabriek rijden. Daar zette hij hem stevig in de lak. Hij sprak altijd over 'een eerlijk schip, heel wat anders dan die polyester troep'. Ook al had hij een bedrijf voor metaalbewerking en plastic producten, hout was het materiaal dat hem gelukkig maakte. Hij kon uren volledig opgaan in het figuurzagen van stukjes fineer, waarmee hij met uiterste precisie een antiek dressoir restaureerde.

Zo zag ik mijn vader graag bezig op zijn kantoor, met een sigaret en een borrel binnen handbereik. De laatste jaren waren deze momenten van klein intens geluk schaars geworden.

De zon kwam steeds vaker door de wolken. Op de fiets was het nog fris, maar de temperatuur liep snel op. Tobias deed zijn jas uit, de meisjes volgden zijn voorbeeld en gingen met hun gezicht in de zon zitten.
'Oké, kom maar,' riep ik enthousiast. Ik voelde me ontspannen. Dit was mijn terrein.
'Dames gaan voor.' Tobias maakte een diepe buiging.
'Wat ben jij opeens galant,' verbaasde Alexandra zich.
'Ik wil niet als eerste te water gaan. Het is heel koud. Niet zo lang geleden schaatste ik hier nog.'
'Ja hoor, Tobias, wij doen het wel weer voor, hè Pinky?'
'Let op, Chiel, hier kom ik.' Alexandra sprong zo hard van de steiger dat ze moest doorrennen over het gangboord om niet te vallen. Ik ving haar op. Even drukte Alexandra zich stevig tegen me aan.
'Welkom aan boord, mevrouw, u wilt wel erg graag zeilen. Wat een haast.' Alexandra gaf een vluchtig kusje. Ik hield haar hand stevig vast toen ze op de vlonders stapte.
'Ja inderdaad, dank u.'
'Kan ik komen?' Ingrid stond klaar bij het voorstag.
'Ja, laat maar los dat stag en spring rustig op de boot.' Die boodschap was goed overgekomen bij Ingrid. Ze keek even overdreven dom bij het horen van de naam van het ding dat ze in haar hand hield, maar voerde precies uit wat ik bevolen had. Het zag eruit of ze niets anders deed dan op boten springen. Ze ging naast Alexandra op het gangboord zitten.
'Leuk, hè? Zullen we maar meteen in bikini gaan?'

Terwijl ze die onder hun kleren uit toverden, kwam Tobias in actie.

'Hé kapitein, sta niet zo naar je matrozen te gluren.' Het leek alsof ik door een linkse directe was getroffen. 'Hier, vang eerst de jassen en tassen. Jullie hebben alles laten staan.' Tobias smeet achter elkaar de spullen op de voorplecht. Gelukkig bereikte het allemaal ongeschonden de boot, knap voor iemand die met één oog zag. 'En nu ik.' Ik wilde nog roepen dat Koning Eenoog misschien wat voorzichtig moest doen, maar dat hoefde al niet meer. Met een enorme knal landde Tobias op het dek.

'Jezus, idioot, je zakt bijna in het vooronder,' schreeuwde ik boos, 'nog zo'n geintje en je kunt beter gaan zwemmen.' Een fractie van een seconde keek Tobias wat besmuikt. 'Nou, sorry hoor, kapitein.' Maar daarna ging hij weer ongestoord verder. 'Die van Alex zijn nog een beetje klein, vind je niet?' Ik dacht door de vlonders te zakken. Alexandra zat er totaal niet mee. 'Hé, stoere zeebonken, nou willen de dames wel eens wat zien.'

Ingrid bloosde. Alexandra liet een vals, beetje hees lachje horen. Tobias kleedde zich meteen uit. Hij had zijn zwembroek thuis al aangedaan. Shit, dat was ik vergeten. Hoe redde ik me uit deze benarde situatie? Alexandra kon het gespierde en al flink behaarde lichaam wel waarderen en floot hard op haar vingers. Ik moest aan haar ordinaire zus denken. Jammer genoeg had Alexandra wel iets van haar. Ingrid tuurde naar de horizon.

'Yes, en nu de kapitein,' grinnikte Alexandra. Ja, daar was ik al bang voor. Ik had mijn zwembroek in een handdoek gerold. Stom, stom, stom.

'Straks,' beloofde ik, angstvallig mijn preutsheid verbergend, 'de kapitein heeft eerst nog even zijn uniform nodig om gezag uit te stralen.'

71

'Schijterd.' Tobias liet geen kans voorbij gaan. Gelukkig sprong Ingrid voor me in de bres en vroeg dik aangezet: 'Michiel, ik snap er nu al niets meer van. Vooronder, stag, krijgen we nog meer onbegrijpelijke taal vandaag?' Ik reageerde uiterst dankbaar.

'Zal ik alles voor je opnoemen? Dan heb je het maar gehad.' Ingrid knikte minzaam en gaf een knipoogje.

'Goed, dit is een grote BM, ook wel zestienkwadraat genoemd, zoveel vierkante meters zeil heeft'ie. Je hebt ook een kleine, maar dit is dus een grote.'

'Nooit gedacht dat Michiel nog eens zou scoren met kwadraten,' kopte Tobias in. Ik liet mijn pret niet bederven.

'We liggen in een jachthaven, je stond net op een steiger, de mast wordt rechtop gehouden door de stagen, we zeilen met twee zeilen, het grootzeil en de fok; wat je straks vast moet houden heet een schoot, je stuurt met het roer...'

'Ho stop, zo is het genoeg voor mij, het duizelt nu al.'

'Oké, Pinky, dan vertel ik straks over helmstok, gaffel, geipen, overstag, voor de wind, aan de wind, vlonder, ...'

Ik keek naar alles wat ik noemde en maakte grote gebaren.

'Nee, stop hou op, ik wil gewoon zeilen en lekker dom in de zon liggen, mag dat ook?' wilde Ingrid weten.

Ik keek naar haar borsten, zonder rood te worden dit keer, schaamteloos. Ingrid had het lichaam van een rijpe vrouw. Naast het bevallige buikje en de ruime cup B van haar vriendin zag Alexandra eruit als een meisje. En Ingrid was niet eens zo veel ouder. 'Tuurlijk, jij mag alles.'

'Zeg Michiel, als je de hele dag zo naar haar blijft kijken, zou ik maar geen zwembroek aandoen.' Tobias keek guitig bij zijn eigen woorden.

'Hoezo?' Ik had al spijt van mijn reactie, voordat ik het woord uit had gesproken.

'Nou, een gaffel in je broek, dat staat zo lullig.'
Alexandra proestte het uit. Ingrid was boos. 'Jeetje, Tobias, als je nou niet ophoudt ga ik naar huis.'
'Jezus Pinky, doe niet zo preuts. Hij maakte alleen een geintje en Toop is gewoon eerlijk. Ik heb nog maar kleine tietjes en Michiel zat inderdaad ...'
'Stop!' Ik stond te trillen van woede. Hij was eerlijk, dat kon ik niet ontkennen. Maar ik had er de pest over in dat hij mijn goede gevoel om zeep dreigde te helpen. Eindelijk was ik eens ontspannen. Eindelijk durfde ik zonder schaamte te kijken naar.... 'Ingrid heeft gelijk. Ik word er ook schijtziek van.'
Iedereen was nu doodstil en staarde stug voor zich uit. Het water spatte nu harder tegen de boot. Een stevige wind was opgestoken. Vallen van staaldraad tikten ritmisch tegen aluminium masten. Op een zeiljacht dat iets verder in de haven lag keken mensen nieuwsgierig naar ons. Ik zwaaide afgemeten en vervolgde met gedempte stem.
'Júllie vinden het misschien normaal om zo grof te zijn, maar wíj niet.' Ik keek naar Ingrid. Ik smeekte om een bevestiging. Ingrid knikte. Ze stond achter me. Ik stond niet alleen.
'Zo en laten we nu lekker gaan zeilen,' nam ik de touwtjes in handen. Niemand protesteerde. Ik voelde me weer sterk. Met deze vrienden kon ik zelfs ruzie maken.
'Ik zal zeggen wat jullie moeten doen. Stop eerst al die troep eens in de kastjes en Xandra, heb je een peuk voor mij?'
'Ay ay, kapitein,' zei Alexandra opgewekt. Ik rechtte mijn rug, trok mijn schouders naar achteren en duwde mijn borst naar voren. Vervolgens pakte ik een sigaret aan en zei kortaf:
'Mooi.'

De boot lag precies in de wind, zodat ik de zeilen op de ligplaats kon hijsen. Mijn nieuwe vrienden volgden met ontzag alle handelingen die ik verrichtte en binnen enkele minuten voeren we de grote plas op.

Na een uurtje gezeild te hebben, ik hield het roer en grootzeil, terwijl de anderen om beurten de fok bedienden, legden we aan bij een eiland.

'Jij bent wel een slijmgast, zeg.' Tobias keek ongewoon serieus. We liepen naast elkaar over het eiland in de richting van een gebouwtje, terwijl de meiden ons nakeken. 'Zo tekeer gaan tegen Alex.' Tobias gaf me een zetje waardoor ik bijna over een paaltje struikelde.

'En tegen jou. Blijf van me af.'

'Probeer je indruk op Ingrid te maken?' Tobias gaf nog een plaagstootje. Ik vond hem irritant.

'Ben je jaloers?' ging ik in de aanval.

'Jaloers? Ik? Laat me niet lachen. Ik wil niks met Ingrid.'

'Met Alex dan?'

'Kom zeg, met dat sprietje al helemaal niet.'

'Het was een rotstreek, zoals jij begon over die gaffel in mijn broek.'

'Jezus, doe effe normaal, alsof jij zo'n lieverdje bent. Als zij er niet bij zijn, praat je net zo.'

'Ja, als zij er niet bij zijn,' riep ik verontwaardigd.

'Zie je wel, je bent een slijmgast,' kaatste Tobias ogenblikkelijk terug. Als ik eerlijk was, zou ik toegeven dat het waar was.

'Dat zal dan wel. Zullen we nu dan maar die broodjes kroket halen?'

'Anders worden de dames boos en dat is het laatste wat jij aankan.' Tobias keek uitdagend.

'Lul,' zei ik met een blik die duidelijk probeerde te maken dat ik hem eigenlijk gelijk gaf.

'Je bent een ongelofelijke slijmgast, maar wel een aardige.'
Tobias trok me even hardhandig tegen zich aan en aaide
me over mijn hoofd. In de verte hoorden we Alexandra op
haar vingers fluiten. We lachten naar elkaar.

Mijn zwembroek hoefde ik niet meer aan te doen. Donkere
wolken pakten samen. De wind stuwde de golven zo hoog
op dat ze hard uiteen spatten tegen de boeg. Iedere golf
stoof als een sproeier over ons heen nu we scherp aan de
wind op de jachthaven af koersten. De zeilboot, die nogal
lomp was van onderen, stampte op de witgekopte golven.
Alexandra, Ingrid en Tobias waren niet alleen behoorlijk
bang voor het woeste weer, ze merkten dat hun windjacken
niet tegen alle elementen bestand waren. Het jasje van
Alexandra hield helemaal niets tegen; ze zat te rillen van
de kou. Mijn jas was water- en winddicht, net als mijn
zeilbroek. Een beetje sadistisch vroeg ik:
'Vinden jullie dit ook zo gaaf?' En toen ik geen antwoord
kreeg: 'Jullie hebben het toch niet koud, hè?'
Ik genoot altijd van dit weertype. Als klein kind was ik
hier ook bang voor geweest, zeker als de boot zo schuin
ging dat het water over een gangboord liep. Hannah riep
dan naar haar bange broertje: 'Er hangt duizend kilo lood
onder, hoor.' Alsof dat me geruststelde. Maar nu zag ik in
de ogen van mijn vrienden drie keer mijn eigen gezichtje.
Ik voelde geen medelijden, ik voelde me goed.
We bereikten snel de veilige haven. Al was de lucht
pikzwart, het regende nog niet. Ik legde de boot zorgvuldig
pal tegen de wind in bij een paal, rende behoedzaam over
het gangboord naar de voorplecht en maakte de boot met
een simpele mastworp vast. De zeilen klapperden met
een oorverdovend kabaal en de giek sloeg onberekenbaar
krachtig heen en weer.

Toen we de haven in zicht kregen had ik de opdracht gegeven in de kuip op de vlonders te gaan zitten en onder geen beding op te staan. Dat kwam nu goed uit, want de slingerende giek had hen zeker overboord geslagen. Als een ervaren zeiler die solo de wereld rond ging, bracht ik mezelf en de anderen in rustig vaarwater. Pas op het moment dat ik de zeilen had neergelaten en vastgebonden, mocht iedereen weer opstaan. De anderen moesten het dekzeil over de giek tillen en uitrollen, terwijl ik de fok binnenhaalde. Nadat we de BM langs andere boten naar zijn ligplaats hadden getrokken en alle touwen waren vastgemaakt, keken we elkaar aan. Natte haren, rode wangen, enthousiaste blikken. Schouderklopjes en omhelzingen volgden. Tobias, die langzaam iets van zijn bravoure terugkreeg, was nog het meest onder de indruk.

'Jezus, Chiel, wat deed je dat hartstikke goed zeg. Ik pieste echt bijna in mijn broek, maar jij bleef zo rustig.' Hij gaf me een dikke zoen. Ingrid en Alexandra volgden met veel gejoel zijn voorbeeld.

Ik was de koning te rijk. 'Zijn jullie niet boos dat je nat bent?'

'Welnee man, we zijn trots op je,' zei Tobias en hij keek naar de andere twee, 'Toch?'

'Je bent een echte zeebonk, Michiel, ik had dit niet willen missen,' zei Ingrid vol bewondering. Alexandra omhelsde en zoende me voor de tweede keer. 'Ik ben zeiknat, ik bibber van ellende, maar jij bent een lekker stuk.'

Ik kreeg een kop als een boei. 'Zo kan'ie wel weer. En nu?'

'We gaan bij mij thuis de meisjes opwarmen, Michiel. M'n moeder is een week weg, naar Spanje. Ik heb het rijk alleen. Oké?' Nadat hij mij een vette knipoog had gegeven, keek hij vragend naar Ingrid en Alexandra.

Ik zag voor het eerst iets kwetsbaars in Tobias. Al had ik af en toe woorden met hem, omdat hij zo bot kon doen, soms ontroerde Tobias me.

Hij was eens een week door de schoolleiding geschorst. Hij had vlak voordat de laatste bel ging de veters van een klasgenoot aan elkaar gestrikt. Tobias deed dit wel vaker bij vrienden. Hij vond het een goede grap, omdat het slachtoffer dan te laat in de les kwam. Het probleem was dat dit slachtoffer bekend stond als zonderling en zielig. Tobias had de jongen al enige tijd in bescherming genomen. En in plaats van hem als een zielenpietje te behandelen, betrok Tobias hem bij alles wat hij deed. Daar hoorde ook bij dat hij net als andere vrienden van Tobias het slachtoffer kon worden van een grapje.

De jongen had Endstra, onze aardrijkskundeleraar, niet willen zeggen wie het gedaan had. Het was duidelijk dat Endstra het idee had dat die jongen bang was voor de dader. Tobias had toen bekend dat hij het was geweest. Furieus pakte Endstra hem bij zijn arm en bracht hem, zonder los te laten, naar de rector. De twee mannen maakten hem uit voor het laagste wat ze bedenken konden. Hoe kon hij deze jongen zo laaghartig pesten? Antwoord geven op die vraag mocht hij niet. Dat mocht hij wel van zijn ouders. Die hadden een brief op hoge poten naar de schoolleiding gestuurd. Geweldig zulke ouders, dacht ik, toen ik het verhaal van Ingrid hoorde.

'Yes, we gaan naar dat asociaal grote kasteel van jou,' reageerde Alexandra opgetogen. 'Gaat iedereen mee?'

'Jottem, Alexandra,' overdreven Ingrid en ik.

'O stik, ik ben zeker weer te enthousiast?' schrok Alexandra.

'Nee hoor, lieverd, je bent gewoon onze benjamin,' plaagde ik vaderlijk. Alexandra's manier van praten stoorde me niet meer.

De vader van Tobias was heel rijk toen hij verongelukte. Hij liet zijn vrouw en zesjarige zoontje achter met veel verdriet en veel geld.

77

Tobias woonde in een schitterende villa met een lange oprijlaan. Vanaf de straat was het huis niet te zien. Ik arriveerde als enige redelijk droog. Ik was alleen nat van het zweet. De anderen waren al doorweekt van het buiswater en dat was nog erger geworden doordat we onderweg ook een hoosbui op ons hoofd kregen.

Tobias ging mij voor naar boven en wees me de logeerkamer met ruime badkamer.

'Hier kan je lekker douchen en in dat bed kan je even bijkomen, schipper,' en weg was hij. Ik vergaapte me aan de luxe. Ik woonde zelf best in een mooi huis, maar hier was alles zo groot en chic. Vrolijk floot ik de melodie van *With a little help from my friends*. Ik keek in een enorme spiegel naar mezelf en neuriede zachtjes

Do you need anybody
I need somebody to love

Ik genoot van de zelfvoldane blik die deze dag me had bezorgd. Opeens zag ik de gestalte van Alexandra in de spiegel. Ze nieste. Ik draaide me met een ruk om en verwonderde me over haar naaktheid. Ze had alleen haar lichtblauwe bikinibroekje aangelaten.

'Zo keurige knul, sta jij jezelf te bewonderen?' betrapte ze me, maar ik liet me niet uit het veld slaan. Ik bekeek haar van top tot teen, zag het kippenvel op haar kleine tietjes en zei bezorgd: 'Gezondheid. Moet jij niet gauw onder een hete douche gaan staan?'

'Ja dank je, ga je mee doesen?' Haar uitspraak vertederde me nu zelfs. Ik was overdonderd, maar probeerde daar niets van te laten merken door mijn blik nog eens ongegeneerd over haar jonge lichaam te laten glijden. Om me een houding te geven zei ik: 'Ze zijn klein, maar fijn.'

'Ja, so kennut wel weer. Kom.'

Op de overloop bij mijn eigen kamer hing een affiche met een bloot stel onder de douche. *Save water, shower with a friend* stond erboven. Om mijn ouders dwars te zitten, niet omdat ik enige ervaring had onder de douche.

Snel trok ik mijn zwembroek aan voordat ik de doucheruimte instapte waar Alexandra de dampende stroom stond te koesteren. 'Ahhh, ik word eindelijk weer warm.' Ze trok me naar zich toe. Al kon ze niets zien, ik wist zeker dat ze mijn erectie tegen haar buik voelde. Alsof ze mijn gedachten raadde, zei ze:

'Geeft niet,' en ze legde een hand op mijn zwembroek, precies op mijn harde pik. Ik schrok me rot. Weg was het fantastische zelfverzekerde gevoel.

'Michiel, ik wil straks met je in bed liggen, maar je moet me beloven dat deze jongen niet te veel in actie komt.'

Ik was weer met stomheid geslagen. Met zoveel directheid kon ik nog steeds niet overweg. Blijkbaar vatte ze dit als een bevestiging op, want ze sloeg haar armen om me heen en drukte zich helemaal tegen me aan. Ze streelde mijn rug. Even was ik bang dat ze ook mijn puisten zou voelen.

'Je bent lief, Michiel.'

'Jij ook.'

Wat kon dit groffe, brutale meisje teder zijn. Haar zachte lichaam voelde ongekend dichtbij. Dit meisje, deze hele dag, pelde een schilletje van mijn eenzaamheid af. Het loste op in het warme water dat weldadig over ons stroomde en verdween met het draaikolkje in het putje.

Even later kroop ik snel, met mijn onderbroek aan, in de twijfelaar. Het zag er vast komisch uit, want toen Alexandra poedelnaakt uit de badkamer kwam lopen, zei ze gevat:

'Hé, stoere zeebonk, ben je bang voor dit kleine meisje met de kleine tietjes.'

79

Ik keek gefascineerd naar het donkere driehoekje onder haar buik en schaamde me nu helemaal niet meer voor mijn openlijke interesse. Alexandra liep lief lachend naar me toe, sloeg het laken weg en ging tegen me aan liggen. Ik trok het laken over ons heen. Ik kon eindelijk weer wat zeggen.

'Je doet net alsof ik veel ouder ben. We schelen maar een paar maanden.'

'Weet ik, maar jij ziet er veel ouder uit dan je bent. Geef me eens een stevige zoen met die lekkere lippen van je.' Ik kuste haar heel zachtjes op haar mond en voelde meteen haar tong die van mij zoeken. Een ongewenste erectie kroop uit mijn onderbroek. Alexandra pakte hem even vast, maakte haar mond los en fluisterde in mijn oor: 'Af Bello, koest.' Ze pakte mijn hand en legde die tussen haar dunne dijen. 'Voel maar.'

Nieuwsgierigheid overwon mijn angst. Alexandra was niet het meisje van mijn dromen, maar dit was bepaald geen nachtmerrie. Ik ging voorzichtig in op haar uitnodiging. Mijn hart bonkte in mijn borstkas. Het Grote Geheim voelde zacht, warm en vochtig. Ze kreunde en kuste me hard. Te hard. Ik maakte me los. Ze was sterk. 'Alexandra, ho.' Verstoord hield ze haar hoofd wat naar achteren en keek me vragend aan. 'Xandra, ik vind je heel lief, maar ik ben niet verliefd.' Ik keek hoe haar gezicht reageerde op deze ontboezeming. Rustig. Ze glimlachte.

'Ik ook niet, schatje, maar jij hebt vast nog nooit zo met een meid in bed gelegen,' vermoedde ze, 'En ik nog nooit met een jongen. Vind je het niet lekker dan?'

'Wel, een keer.' Ik ontweek de laatste vraag.

'O, daar is dan weinig van te merken.' Ik schrok van haar harde reactie, maar ik lachte toch.

'Ze heette Kristel en we waren allebei negen.'

Alexandra glimlachte. 'Zie je wel.'

'Het was mijn eerste vriendinnetje. Ze bleef logeren en kroop 's ochtends heel vroeg bij me in bed.'

'Nou, nou, was je er toch vroeg bij.'

'Ik stelde voor doktertje te spelen en zij begon meteen over de duivel. Daar wist ik niets van, maar het leek me beter niet aan te dringen.'

'Nee, anders had ze je vast vervloekt.'

Bijzonder dat we ook praatten met elkaar. Eindelijk eens niet het wereldkampioenschap langzoenen. Toch was het ingewikkeld, in bed zoenen met een meisje waar ik niet verliefd op was. Ik kuste haar nog eens, streelde haar borstjes en voelde de tepels harder worden.

'Klein èn fijn.' Ik sprong onverwachts uit bed. Net op tijd. Ik wilde niet dat ze zag dat Bello weer uit zijn hok kwam.

'Hé, wat ga je doen?'

'Effe piesen,' zei ik stoer.

Snel liep ik de wc voorbij en ging naar beneden. De koelkast was goed gevuld. Ik pakte een flesje bier en hoorde plotseling Tobias' stem.

'Jezus, Chiel, het leek wel gewapend beton.' Tobias liep in zijn onderbroek naar het aanrecht, opende een la en pakte een opener.

'Waar heb jij het over?' Ik gaf het flesje aan Tobias. Het leek hem niet op te vallen dat ik halfnaakt in de keuken stond.

'Nou, wat denk je? Ik had gedoucht en was even in mijn bed gaan liggen, komt Pink er meteen bij en zegt patsboem: "Tobias, wil je me alsjeblieft ontmaagden?"' Hij maakte het flesje open, gooide de opener met de dop op het aanrecht en gaf het flesje terug. Ik nam een slok.

'Zo, de dames hebben er wel zin in op bevrijdingsdag.' De betekenis van mijn woorden ontging Tobias. Hij fluisterde:

'Ik had er niet echt zin in, maar ze wilde het per se. Ze smeekte bijna: "Tobias, ook al zullen we nooit een relatie krijgen, ik wil door jou ontmaagd worden." Tsja, toen heb ik het geprobeerd.'

'En het is niet gelukt,' vulde ik aan.

'Maar ik heb toch mijn best gedaan?' vroeg Tobias sullig. Hij staarde beschaamd naar de muur, alsof hij daar zijn goed bedoelde daad zag geprojecteerd. Ik nam een flinke slok uit het flesje. 'Ja, op de Tobiasmanier. Gewapend beton! Je bent en blijft een botte lul. Maar wel een leuke lul.'

Tobias lachte even beteuterd en herstelde zich. 'Moet je dat nou zien staan in m'n keuken. Een pik met een pint.'

'Ik ben altijd nog liever een pik met een pint dan een botte lul,' liet ik me deze keer niet aftroeven.

'Nee, een leuke lul, zei je.' Ik knikte. 'En trouwens, waarom sta je hier eigenlijk?'

'Tsja, ik heb ook wat geprobeerd,' antwoordde ik ontwijkend.

'Oké, vertel op.'

'Alex en ik hebben in je logeerbed liggen vrijen. Ze is lief, dat wel, maar na een tijdje was het niet leuk meer.'

'Hoezo, wilde ze niet?'

'Jawel, ze wilde wel. Ze wilde hèt niet, maar verder juist weer te veel, te snel. Ik weet niet. Ze is mijn type niet.'

'Nee, Pink ook niet het mijne.'

'Weet je, 't was het gewoon niet,' concludeerde ik.

Tobias graaide in zijn zak. Met een vriendschappelijk lachje legde hij een klein doosje in mijn hand. 'Hier, voor als het er wel eens van komt. Misschien heb jij meer succes.'

7. Sanderijn

'Vanmiddag ben ik met mijn moeder naar een psycholoog geweest.' Tobias, Alexandra en Ingrid waren net binnengekomen en hadden hun jas nog aan. Ze stopten meteen met hun opgewonden gekakel en keken me vragend aan.

'Ben je gek geworden?'

'Nou, Tobias! Laat Michiel even uitpraten,' wees Ingrid haar onbereikbare liefde terecht. 'Wat hebben jullie daar gedaan dan?'

'Ik heb tegen mijn moeder gezegd dat ik van huis weg zou lopen. Dat vond ze niet zo leuk. En toen ze bij de huisarts vroeg om pillen, omdat ze alsmaar nerveus is, heeft die haar gezegd dat we maar eens met iemand moesten gaan praten. Ik heb zelf iemand van een of andere psychologische dienst in het telefoonboek opgezocht. Eerst zei mijn moeder dat ze de vuile was niet buiten wilde hangen, maar ze durfde de huisarts niet tegen te spreken. En toen zijn we gegaan,' ratelde ik zonder iets van gevoel te tonen. Ze keken me alledrie onthutst aan. Zo'n waterval waren ze van mij niet gewend, 'Maar het was waardeloos. Ik vertelde die vrouw hoe het bij ons thuis toegaat, over de ruzies met mijn vader en dat mijn moeder iedere ochtend beneden zit te huilen. Toen vroeg ze aan mijn moeder of ze "mijn versie van het verhaal herkende".' Dit laatste zei ik op een truttige toon. 'Mijn moeder ging alles zitten goedpraten. En toen die vrouw zei dat ze alleen met mijn vader erbij verder wilde praten, kon mijn moeder niets anders bedenken dan "O nee, dat gaat echt niet hoor. Mijn man is hartpatiënt.

Dat kan hij niet aan." Ik deed mijn moeder zo bekakt mogelijk na. 'We stonden na een halfuurtje weer buiten.' Ik staarde onbeholpen naar het parket.

Deze vrienden waren het beste dat me in jaren was overkomen. Al deed ik nu eigenlijk alleen een beetje stoer en liet ik niets zien van mijn enorme teleurstelling.

'Stik. Wat rot voor je.' Alexandra sloeg een arm om me heen. Haar goedbedoelde bezorgdheid raakte me niet echt. Ik liet het gelaten over me heen komen.

'Je hebt het tenminste geprobeerd,' trachtte Ingrid te troosten.

'Die moeder van jou is gewoon een bange burgertrut,' deed Tobias zijn duit in het zakje.

'Kom nou, Toop, het blijft wel z'n moeder.' Alexandra drukte me nog steviger tegen zich aan. 'Màà̀r... we zijn vanavond wel voor iets anders bij je gekomen.' Eindelijk liet ze me los. Gelukkig, want ik wist me totaal geen raad met de situatie die ik zelf had gecreëerd.

'Hé Sanderijn, lekkere stoot,' riep Tobias, meer in de stemming voor iets luchtigers.

'Michiel?' Ingrid keek me indringend aan. 'Zie je het wel zitten dat ze zo komt?' Wat moest ik daar op zeggen? Ze wilden me helpen.

'Ja hoor.' Ik kon ze moeilijk allemaal wegsturen.

'Klinkt niet echt enthousiast,' constateerde Tobias droog.

'Ze kan ieder moment hier zijn.' Ik probeerde mijn zenuwen in bedwang te houden.

'Hoe laat komt ze dan?' vroeg Ingrid zakelijk.

Ik keek op mijn horloge. 'Ze zou om acht uur hier zijn. Over vijfentwintig minuten.'

'Oké, dan gaan we je nu voorbereiden,' zei Alexandra net iets te vrolijk.

'Ja, gaan jullie maar vast naar boven.

Ik pak even drinken uit de garage,' zei ik niet erg in de stemming om even later op de versiertoer te moeten.

In de garage was ik alleen met mijn onrustige gedachten. Ik ging met mijn nieuwe vrienden naar de Wereldwinkel. Tobias had voorgesteld dat ik me zou aansluiten bij een groepje dat daar iedere week praatte over de politieke situatie in Latijns Amerika. Hij legde me uit dat Chili niet het enige land was waar vreselijke dingen gebeurden. 'In bijna al die bananenrepublieken worden de mensenrechten geschonden en Amerika weet daar meer van.' Hij besloot met de *slogan* 'hun strijd, onze strijd, internationale solidariteit,' waarbij hij strijdbaar als een echte revolutionair zijn linkervuist ophief.

Ik was meegegaan, meer om mijn aardige vrienden niet teleur te stellen dan om deze ver-van-mijn-bed-show. Al op de eerste avond was mijn oog gevallen op een prachtig meisje dat naast haar moeder zat. Haar moeder. Onvoorstelbaar. Mijn ouders wisten nergens van. Ik ging stiekem naar deze avonden. Ik deed net alsof ik huiswerk ging maken bij Tobias. Nee, dan Sanderijn. Die ging gewoon met haar moeder. Ik vroeg me af wat mij verliefder maakte, haar prachtige verschijning of het feit dat ze hier met haar moeder aanwezig was.

Op de trap hoorde ik '*She loves you*' van The Beatles. Vast een geintje van Tobias. Ik duwde met een elleboog mijn kamerdeur verder open en zette een fles cola en een fles sinas met vijf glazen op een laag tafeltje. 'Jezus, waar heb je dat nummer vandaan?' en zonder op antwoord te wachten, 'weet je wat Hannah, mijn zus, zei toen ze dit singletje ging kopen in de winkel? Het was haar eerste plaatje en ze vroeg "Mag ik *She loves you, yeh, yeh, yeh* van u?" Lief, hè.'

De meisjes lachten bemoedigend; Tobias zat met zijn rug naar de anderen tussen mijn platenverzameling te zoeken.

'Heb je niets van Bob Dylan?'

'Nee,' antwoordde ik kortaf en richtte me dankbaar tot Alexandra en Ingrid, 'zo, wat hebben jullie het gezellig gemaakt hier.' Al mijn kussens lagen op de grond en het enige licht in de kamer kwam van kaarsen en een rode lamp die een affiche in een warm waas hulde. Het affiche stelde een soldaat voor die net was doodgeschoten. Vlak voordat hij met gespreide armen in elkaar zou storten, stond hij nog rechtop en vormde zijn lichaam een kruis. Boven dit door ons alle vier gehate oorlogsbeeld stelden drie letters de diepzinnige vraag: *Why?* Tegenover deze pacifistische aanklacht hing een opgewekter affiche, eveneens in zwart-wit. Het gezicht van een man werd gevormd door een naakt vrouwenlichaam. Haar schaamhaar was een wenkbrauw en haar borsten vormden zijn voorhoofd. De tekst daarboven: *What's on a man's mind.*

Ingrid stak een sigaret op en vroeg: 'Jij ook een sigaretje, Chiel?'

'Nee, nu even niet, dank je,' weerde ik af.

'O, Pinky, Pinky, Pinky, snap je dat dan niet. Sanderijn rookt niet en die versierder daar wil haar straks niet het idee geven dat ze haar tong in een volle asbak steekt.'

De dames moesten lachen om Tobias en keken beschaamd toen ze opmerkten dat ik weinig overtuigend mee lachte.

'Nou, kom op mensen, we gaan Michiel hèlpen vanavond, niet afzeiken,' sprak Alexandra bezwerend. 'En Tobias, zet Earth & Fire maar op, dat vind ik goeie muziek.'

'Ja, die Jerney Kaagman is wel een lekker wijf, hè Chiel.'

'Ja, hoor Tobias, *Wild and exciting,*' beaamde ik met tegenzin vanwege de aanwezigheid van de twee meisjes. Ik wilde niet toegeven dat ik de zangeres op de foto van het platenhoesje inderdaad heel opwindend vond. Een heerlijke hoezepoes had Martijn haar eens genoemd, net zoals Mariska Veres van Shocking Blue.

Ik bracht daar destijds tegenin dat een hoezepoes nooit deel uitmaakte van de popgroep. Zo'n sexy stuk werd door een platenmaatschappij alleen op de hoes gezet om meer te verkopen. Pure commercie, zij had dus niets met de muziek te maken. En Jerney wàs niet alleen *Wild and exciting*, ze zong het ook.

'Maar zet dan zo, als Sanderijn aanbelt, *Tommy* van The Who op, oké?' stelde Ingrid voor.

'O nee, hè? Die drakerige rockopera over dat doofstomme jongetje met die flipperkast,' zuchtte Tobias theatraal.

'Ik dacht dat jij The Who zo goed vond?' Alexandra keek triomfantelijk naar Tobias.

'Ik vind ze helemaal niks,' kwam Ingrid tussenbeiden, 'alleen maar herrie en aan het eind van hun concerten slaan ze al hun instrumenten stuk.'

'Je hebt het wel over de beste rockband die er bestaat,' reageerde Tobias verontwaardigd. Hij was een grote fan van The Who, maar vond *Tommy* een domme vergissing van zijn favoriete band. Liever schreeuwde hij keihard *'talking 'bout my generation'* mee.

'Zet straks nou maar gewoon *Tommy* op, dat is mooi voor de sfeer,' rondde Ingrid af.

'Goed schat,' zei Tobias olijk.

'Ik ben je schat niet, was het maar waar,' kaatste Ingrid zonder ironie terug.

'Kom, kom lieverdjes, doe dit maar een andere keer. Michiels nieuwe vriendin kan ieder moment aanbellen.' En om Alexandra's woorden te onderstrepen ging beneden de bel. Ik raakte direct bevangen door een paniekaanval en keek vragend naar mijn vrienden.

'Rustig maar, jongen. Ga naar beneden, open de deur en zeg: "Hallo", hielp Tobias.

Ik lachte. 'Goh, als het zo makkelijk is, dan ga ik maar,' en ik liep rustiger dan ik was mijn kamer uit.

Bij het openmaken van de deur, hoorde ik boven de eerste tonen van de rockopera. Voor me stond een hippiemeisje. Schitterend golfend lang haar hing over een beige-bruine suède jas, afgezet met een dikke rand van smoezelig, pluizig nepbont. 'Hoi,' zeiden haar roze lippen.

Ik moest denken aan de fantastische tip van Tobias. 'Hallo.' Het hielp wel, want ik zei het lachend.

'Sorry dat ik een beetje laat ben. Ik was de tijd vergeten, het was zo gezellig aan tafel.'

Ik reageerde niet direct. Zo gezellig aan tafel, met haar ouders natuurlijk. Aan tafel en gezellig was bij ons een onmogelijke combinatie.

'Oh, dat geeft niets. De anderen zijn boven. Laat je jas maar hier. Ik pak nog even wat chips.'

'Kan ik helpen?'

Je bent niet alleen oogverblindend, Sanderijn. Ook gewoon heel lief. Dacht ik en ik zei: 'Nee hoor, ik kom zo.'

Ze deed met sierlijke bewegingen haar jas uit en liet hem op de grond glijden. 'Hier de trap op?'

'Ja, zoek *Tommy*.' Ze keek me verbaasd aan. 'De muziek,' probeerde ik te verduidelijken. Ik vroeg me af of Sanderijn van een andere planeet kwam. Ze keek dromerig uit haar ogen en praatte zangerig.

'O ja, natuurlijk,' zei ze melodieus en liep de trap op. Ik vermoedde een mooi lichaam onder haar vale spijkerbroek met opgenaaide, kleurrijke stukken stof en dunne paarse vestje.

Boven stapte ik met een grote zak paprikachips een sfeer binnen die ik nooit eerder in mijn kamer had ervaren. Het diffuse licht van de kaarsen dat geen moment hetzelfde was, de muziek die beter klonk dan ooit, de flessengroene muren die nauwelijks te zien waren. Ik had eigenlijk best een knusse kamer. Ik besefte opeens dat iets opborrelde wat ik hier zelden meemaakte: ik voelde me thuis.

De aanblik van Sanderijn had onmiddellijk het mislukte bezoek aan de psychologe uit mijn hoofd getoverd.

Het gesprek ging natuurlijk over de Wereldwinkel. Tijdens de laatste bijeenkomst hadden we even over leraren gemopperd. Een oudere, beetje zonderlinge, man schreeuwde: 'Zet ze tegen de muur, al die leraren. Afknallen die handel.' Tobias was nu met Sanderijn in discussie over dit voorval. Sanderijn vond dat ze die man niet zo serieus moesten nemen en dat hij verder best aardig was, maar Tobias werd boos.

'Die anarchisten verpesten alles. Straks denkt iedereen dat wij ook zulke absurde ideeën hebben. Laat hem opdonderen en ergens anders die onzin uitkramen.'

Ik baalde ervan dat ik mijn moeder wel een beetje gelijk moest geven: politiek leidde vaak tot ruzie; mensen werden fanatiek in politieke discussies, in het bijzonder mijn vader. Tobias vond dat het tijd werd om mij politiek te scholen en had me het dagboek van Che Guevara gegeven. Mijn vader had het boek in de huiskamer zien liggen.

'Jij gaat je, godverdomme, niet laten manipuleren door die communistische rotzooi,' tierde hij witheet. Hij was opgesprongen, had het bewuste boek uit mijn handen getrokken en door de kamer gesmeten. Een grote plant was daarbij omgevallen en geknakt tot grote ontsteltenis van mijn moeder.

'Gerard, blijf toch rustig. Heb je weer gedronken? Denk om je hart. En om je taal, vloek toch niet zo.' Rode vlekken bedekten haar hals.

'Neem het niet altijd op voor die rotjongen, verdomme.'

Mijn moeder keek haar man misprijzend aan en riep met tranen in haar ogen: 'Ik neem het helemaal voor niemand op. Ik wil gewoon rust in huis,' en ze rende snikkend de kamer uit.

Intussen had ik het boek opgeraapt en constateerde laconiek en provocerend: 'Jeetje, hij is helemaal beschadigd.'

Vader raasde door: 'Heb je nou je zin? Pak dat rotboek en gooi het in de vuilnisbak. Daar hoort die vuile rooie rakker thuis.' Hij pakte zijn sigaretten van tafel en liep de gang in. De harde knal waarmee de voordeur dichtviel voelde als een overwinning. Beter hij eruit dan ik.

Aan weerszijden van Sanderijn was voldoende ruimte. Daar hadden mijn vrienden wel voor gezorgd. Ik ging aan haar linkerkant op de grond zitten met mijn rug tegen het bed. Iemand van links benaderen lukte mij beter dan van rechts. Ik dacht aan een verhaal uit de Middeleeuwen dat we in de klas hadden gelezen. Daar kwam ook een Sanderijn in voor. Als de man, die verliefd op haar is, ontdekt dat Sanderijn geen maagd meer is, zegt hij: Aan een boom zo vol met bloempjes mist gij één, twee bloempjes niet. Deze Sanderijn had vast ook al veel vriendjes versleten. Zou ze "het" al eens gedaan hebben? Haar ouders hadden vast geen bezwaar. Zij mocht natuurlijk alles. Ingrid bracht me bij mijn positieven.

'Hé Chiel, wat was er laatst nou eigenlijk gebeurd met dat proefwerkblok bij aardrijkskunde?' Ze keek Tobias streng aan. 'Kop houden jij,' zei haar gezicht.

'O, dat,' reageerde ik gespeeld nonchalant. Ik keek Ingrid dankbaar aan, maar wist niet of zij dat kon zien in het halfdonker. 'Ik had van Tobias een sticker gekregen en op mijn proefwerkblok geplakt. "Nixon oorlogsmisdadiger" stond erop.'

'Hé, die ken ik. Dat is toch die sticker met dat hakenkruis?' reageerde Sanderijn opgetogen.

'Ik ga effe pissen,' zei Alexandra op haar bekende manier.

'Ja, op de plaats van de x van Nixon staat een hakenkruis,' negeerde ik Alexandra.

'En terecht, die smerige...,' wilde Tobias verder gaan, maar een vernietigende blik van Ingrid deed hem abrupt stoppen. Sanderijn zat naar mij toegekeerd en was een en al aandacht. Ik zag dat Tobias en Ingrid opstonden. Ik maakte mijn verhaal af: 'Nou, Endstra, dat is onze aardrijkskundeleraar, maar die ken jij niet, is een ontzettend rechtse bal. Hij zag die sticker en stortte een heel college over me uit. Amerika, Vietnam, de dreiging van Rusland, dat wij hier vrij zijn dankzij de VS en hij ging maar door. Ik begreep er niets van. Ik had die sticker van Tobias gekregen....' Het werd me duidelijk dat ik dit verhaal niet meer tot een heldhaftig einde kon brengen. Mijn droommeisje had niet door dat we inmiddels alleen waren.

'Wat een klootzak,' vatte ze samen, 'waar zijn je ouders eigenlijk naartoe of zitten die stilletjes in de woonkamer?'

'Nee, die zijn weg, naar een of ander verjaarspartijtje.'

'Zijn ze aardig?'

'Gaat wel.' Ik was niet blij met het verloop van ons gesprek. In een onhandige poging schoof ik plotseling tegen Sanderijn aan, sloeg een arm om haar heen en zoende haar op de mond. Eerst beantwoordde mijn sprookjesprinses de kus, maar toen ik probeerde mijn tong tussen haar lippen te krijgen, wurmde ze zich los en sprong op. Ik voelde me ineen krimpen. Wat een klunzige actie. Dit sloeg helemaal nergens op. Ze keek verward de kamer rond. 'Wat is hier aan de hand? Waar zijn de anderen opeens gebleven?' Het dromerige Wereldwinkelmeisje keek op mij neer. 'Sorry, hoor Michiel, ik vind je best aardig, maar...' Ze raapte haar veelkleurige gebreide tas op en liep zonder omkijken de kamer uit. "Het" was mislukt. Opeens werd ik me weer bewust van de muziek die al de hele tijd opstond. De doofstomme Tommy zong vanuit het donker:

See me
Feel me
Touch me
Heal me

Beneden hoorde ik Sanderijn.
'Ik vind dit niet leuk.'
Tobias probeerde de situatie te redden. 'Hoezo? Michiel is een heel aardige jongen, hoor.'
Hij was kansloos.
'Het is gewoon een rotstreek van jullie.'
De voordeur sloeg met een klap dicht. Mijn vrienden liepen sjokkend de trap op.

See me
Feel me
Touch me
Heal me

8. Fantasia

Eenakter voor jongen en vrouw.

Een jongen loopt door de duinen. Hij is jonger dan hij door zijn lengte lijkt. Blonde krullen liggen op de kraag van een beige corduroy jacky. Daaronder draagt hij een spijkerbroek en suède schoenen. Bomen en struiken botten uit in een lichtgroene gloed. Het is warm voor de tijd van het jaar. De jongen neemt een trekje van een sigaret. Kort gefluit. Hij kijkt omhoog. Weer klinkt hetzelfde fluitje. De jongen kijkt om zich heen. Nog eens. Nu hoort hij waar het vandaan komt. Een eindje verderop steekt een hoofd boven een heuveltje uit. Aarzelend zet hij een stap in de richting van het met helmgras begroeide duintje.

VROUW: *(verleidelijk, met zangerige stem)* Hé, kom eens bij me. *(De jongen kijkt de vrouw verbaasd aan. Hij is op zijn hoede. Toch loopt hij langzaam door. Stap voor stap nadert hij de vrouw. Als hij op het duintje staat, ziet hij haar liggen in een duinpan. Ze is jong, haar leeftijd is moeilijk te schatten, begin twintig misschien. Ze is mooi, heel mooi. Hij weifelt en wacht af)*
VROUW: Wil je alsjeblieft dichterbij komen? *(Ze vraagt het heel zacht. De jongen kan haar nauwelijks horen. Hij doet wat ze vraagt. Ze gaat rechtop zitten en kijkt hem van dichtbij uitdagend aan. Kent hij haar? De zon staat laag achter haar. Om haar goed te kunnen zien knijpt hij zijn ogen tot een dun spleetje. Dat gezicht, die gestalte, waar heeft hij haar eerder gezien? De vrouw taxeert hem.*

De jongen voelt zich steeds minder op zijn gemak. Hij wil weg, maar iets houdt hem tegen, nagelt hem aan de grond. Na lang stilzwijgen verandert de glimlach in een serieus gezicht. De vrouw strekt haar armen naar hem uit)
VROUW: *(plompverloren)* Krijg jij ook altijd zo'n zin met dit weer? *(De jongen zegt niets terug)* Vrij met me. Doe het, nu. *(Even verdwijnt de zon achter een wolkje en kan hij haar scherp zien. Ze is prachtig. Geen fotomodel, daar houdt hij niet van, maar echt   en intens. Ze is eenvoudig gekleed in een groen T-shirt met wijde hals en een geel rokje. Het lange, donkere haar golft over haar schouders. Naast haar blote voeten liggen rode slippers.*
JONGEN: *(met groot ongeloof)* U bedoelt..... hèt?
VROUW: *(gedecideerd)* Ja. *(terwijl ze haar blik op hem fixeert, spreidt ze langzaam haar benen. De jongen deinst terug, draait zich om en begint te rennen)*
JONGEN: Nee, dat wil ik niet!
VROUW: *(roept)* Wees niet bang. Ik doe alleen wat jij wilt. Kom eens bij me zitten. *(Ze springt op en blijft staan. Hij stopt, keert zich zijdelings naar haar toe en kijkt haar behoedzaam aan)*
VROUW: *(overdreven smekend en met een glimlach)* Alsjeblieft? *(Ze bukt om de rode plaid waar ze op zat groter uit te vouwen en maakt een uitnodigend gebaar. Ze ziet dat hij naar haar blote benen staart)*
JONGEN: Wilt u het echt met mij?
VROUW: *(negeert zijn vraag)* Kom nou maar. Ik zal niet bijten. *(De jongen kan geen weerstand bieden aan de verleiding, loopt langzaam terug en laat zich met gespeelde tegenzin op het kleed vallen)* Je ziet er leuk uit. Je bent best knap. *(Ze wil zijn wang aanraken)*
JONGEN: *(zucht en weert haar hand af)* Ja, die kennen we. *(Hij gaat rechtop zitten en tuurt naar de horizon)*

VROUW: *(verbaasd)* Het is toch zo? Of mag ik dat niet zeggen?

JONGEN: *(van haar afgekeerd)* Daar heb ik pas een gedicht over geschreven. Van buiten is niks te zien, de pijn zit van binnen. *(Hij schrikt. De vrouw legt haar linkerhand op zijn rechterknie en streelt voorzichtig de binnenkant van zijn been. Hij voelt de warmte van haar hand, van haar hele lichaam, gloeien. De jongen kijkt de vrouw voor het eerst recht in de ogen. Er gaat een schok door hem heen. Dan ziet hij het hangertje. Het centrum van de welving van haar decolleté. In zilverkleurig metaal is een zwart-wit figuurtje gevat. Het zwart en wit worden gescheiden door een S-vormige lijn. Of zijn het twee cijfers? Een witte zes en een zwarte negen, die in elkaar zijn gevlochten. Hij staart er langdurig naar)*

JONGEN: *(prevelt)* Heks, toverkol, fee, feeks, helleveeg? Droom? Slecht? Zij? Ik? Wij? Slecht, slecht, slecht? *(Dan schuift de vrouw om hem heen en gaat met haar billen op haar hielen tussen zijn benen zitten. Ze kijkt hem recht in zijn ogen en legt twee handen op zijn wangen)*

VROUW: *(fluistert)* Stil maar. Ik ben wie jij wilt. Ik ben alles wat jij wilt. *(Er is even geen enkel geluid te horen. Zelfs de voortdurend krijsende meeuwen zwijgen)*

VROUW: *(harder, maar heel lief)* Jij fantaseert over mij, hè? *(Ze laat haar handen vallen op het kleed)*

JONGEN: *(sluit zijn ogen. Zijn woorden lijken van heel ver te komen)* Als ik in bed lig, fantaseer ik over een jonge vrouw die mij vraagt of ik met haar wil vrijen.

VROUW: Om "het" te doen!

JONGEN: Ja, "het" en zij doet precies wat ik wil.

VROUW: Wat wil jij dan?

JONGEN: *(als in gebed)* Dat weet ik eigenlijk niet, maar toch is het altijd precies wat ik wil. Maar die vrouw blijft heel vaag. *(opent langzaam zijn ogen)*

Ik heb u nog nooit zo duidelijk gezien.

VROUW: *(grinnikt)* En bevalt het?

JONGEN: *(bijna onhoorbaar)* Ja, zeker. Bent u het echt?

VROUW: *(lachend)* Zo, zo, en nu wil jij met mij doen wat je altijd met haar doet. *(Hij kijkt naar haar T-shirt. Haar borsten deinen zachtjes als ze beweegt. In een oogwenk tovert de vrouw haar borsten tevoorschijn)*

VROUW: *(draait haar schouders beurtelings een beetje naar voren en houdt haar hoofd scheef)* Vind je me mooi?

JONGEN: *(dromerig)* Ja, fantastisch.

VROUW: Hoe oud ben je?

JONGEN: Bijna 15.

VROUW: *(spottend)* Toe maar, bijna 15, zullen we dan doktertje spelen? *(Even voelt hij een misselijk makende golf door zijn buik stromen)*

JONGEN: *(beschaamd)* Daar ben ik nu een beetje te oud voor.

VROUW: Zo. En wat kan jij nu dan allemaal dat jij een tijdje geleden nog niet kon? *(De jongen geeft geen antwoord en kijkt haar verlegen aan. Zijn ogen vallen weer op haar borsten)* Wil je me aanraken? *(Zonder iets te zeggen laat hij zijn handen gaan)*

JONGEN: *(schrikt en schreeuwt met angstige blik)* Ik voel niets. *(Plotseling steekt er een flinke wind op)*

VROUW: *(trekt haar T-shirt omlaag)* Zo, het is mooi geweest. Nee, ik ga niet met jou....

JONGEN: Bent u... dan niet... echt?

VROUW: O, jawel hoor, ik ben heel echt, een echte fantasie. *(lacht hard)* Jij moet nog veel leren jochie, maar je bent lief. Er is niets mis met jou. Maak je geen zorgen. Het komt wel. Het komt eerder dan je denkt. *(Zonder hem verder nog aan te kijken staat ze op, trekt haar rok recht, stapt in haar slippers. Huppelend verdwijnt ze over een duin.*

Het rode kleed wappert met haar mee. De jongen rent achter de vrouw aan. Bovenop het duin tuurt hij in het rond. Donkere wolken hangen dreigend boven de zee.)
JONGEN: *(schreeuwt hard tegen de wind in)* Waarom mag ik niet in sprookjes geloven?

EINDE

In de kantine van school zat ik met Tobias, Alexandra en Ingrid rond een tafeltje. De anderen keken verveeld naar de drukte om zich heen, maar ik was vooral onrustig. 'Stomme brugpiepers,' mompelde ik voor me uit om maar wat te zeggen. Bevrijdingsdag had me goed gedaan, maar het blauwtje dat ik bij Sanderijn liep bracht me weer terug bij af. Een klein, verlegen, onzeker, eenzaam jongetje.

'Wat zat die Borgman te zeiken over dat toneelstuk.' Alexandra kwam tot mijn schrik nog eens terug op de vorige les. Tijdens het slenteren van het lokaal naar de kantine hadden we het laatste uur al uitgebreid besproken. Ik had niets gezegd. Mijn vrienden waren het helemaal met elkaar eens: iemand van school had het lef gehad een heilig huisje te slopen. Jammer dat ze niet wisten wie.

'Ja, maar het is wel een tof wijf,' reageerde Tobias vanonder de tafel, waar hij net bezig was een zak toffees uit zijn pukkel te pakken.

'Dat kan wel zijn. Toch hoeft ze niet op één ding door te blijven gaan. Het is een hartstikke goed stuk en ik vind het hartstikke dapper dat'ie dat in de kopijbus van de schoolkrant durft te gooien,' legde Alexandra boos uit. "Het is jammer dat de schrijver ons steeds laat weten wat de jongen allemaal denkt. Dat kan niet bij drama. Wij kunnen niet zien wat de spelers denken",' deed Alexandra de lerares Nederlands drammerig na. 'Ze is zelf een drama.'

'Nou kom op, Xan, dat valt best mee.

Het is de leukste leraar die we hebben,' probeerde Ingrid. 'Precies, Pink, en het is van hàar pas dapper. Zij zet haar baan op het spel,' haakte Tobias in. Hij kwam met een rood hoofd en het snoep boven tafel. 'Jullie?' vroeg hij knikkend naar de zak. Drie handen gingen direct in zijn richting. Tobias trok de zak open en deelde uit. Hij nam zelf als laatste.

'Hoezo zet ze haar baan op het spel?' vroeg ik aan Tobias, terwijl ik deed alsof de toffee me meer bezig hield.

'Heb je dat niet gehoord dan?' Mijn hoofd schudde nee. 'Ze is op het matje geroepen bij de rector. Ze mag de redactie van de schoolkrant niet meer begeleiden. "Dit had nooit en te nimmer in onze schoolkrant mogen staan. Beseft u wel hoeveel boze ouders mij hebben gebeld?" Tobias imiteerde de rector met een harde, keurig articulerende stem. Een stel leerlingen dat net langs hem liep, keek hem verbaasd aan. 'Boeoeoe!' riep hij keihard tegen de eersteklassers die hem stonden aan te gapen. De jongetjes renden meteen weg. Tobias stopte een toffee in zijn mond en wilde luid smakkend verder gaan, maar Alexandra was hem voor.

'Hoe weet jij dit allemaal, grote kerel? En waarom weten wij dat niet?' Ze klonk niet echt aardig. Maar Tobias was niet zo snel uit het lood geslagen.

'Nou, tante Alex, dat zal ik jou eens haarfijn uit de doeken doen. Ik ken iemand die in de redactie zit.'

'Van de schoolkrant?' vroeg Alexandra overbodig. 'Wie dan?'

'Ja, dat kan ik dus niet zeggen. Borgman heeft gezegd dat niemand er met anderen over mag praten. Ze vindt het geweldig dat een leerling zoiets heeft geschreven. Daarom heeft ze het geplaatst, al wist ze van te voren dat ze er gedonder mee zou krijgen. Maar ze wil hier nog wel even blijven werken.

Daarom zegt ze tijdens de les al die andere dingen. Dat doe je als je Nederlands geeft.'

'Tobias, Tobias, wat ken jij toch veel mensen,' grapte Ingrid.

Tobias ging hier niet op in; hij had meer te onthullen.

'Borgman heeft van meerdere leraren en heel veel ouders positieve reacties gehad.'

Ik kon niet meer verbergen dat ik een en al oor was. 'Echt waar?'

Tobias keek me verstoord aan. 'Wat?'

'Nou, uh, die uhh... reacties,' stotterde ik. Ik was bang dat iedereen zag dat ik bloosde.

'Wat ben jij opeens geïnteresseerd. Weet jij hier meer van?' vroeg Tobias argwanend.

'Ik ben trouwens heel benieuwd wie de schrijver is,' kwam Ingrid tussen beiden. Ik vroeg me af of Ingrid dat voor mij deed of dat ze niets in de gaten had. Tot mijn grote opluchting ging Tobias er niet op door.

'Volgens mij moet het dezelfde zijn als die van dat gedicht,' vermoedde Alexandra.

'Ja, dat denk ik ook. Maar dan gaat het nu een stuk beter met hem.'

'Zo is het Pinky, daar heb je eigenlijk wel gelijk in. Hèt komt eraan,' dacht ik. Er verscheen een grote glimlach rond mijn mond, maar ik was blij dat ze niet op me letten.

9. Fleur

Ondanks de bezwaren van mijn Wereldwinkelvrienden speelde ik nog altijd hockey. Tijdens trainingen kreeg ik veel aandacht en stond ik zelfs vaak in het middelpunt. Bij het oefenen van strafcorners leek alles om mij te draaien, vooral als ik de bal weer eens miraculeus uit mijn doel wist te werken. Maar tijdens iedere wedstrijd voelde ik me eenzamer worden. Twee keer vijfendertig minuten observeerde ik vanachter mijn keepersmasker de anderen en voelde langzaam de kou binnendringen. Mijn team stond bovenaan in de competitie en dus kwam de bal niet vaak bij mij in de buurt. Regelmatig tuurde ik vanuit mijn geïsoleerde positie meer dan een kwartier naar mijn teamgenoten, de tegenpartij, de scheidsrechters en het publiek. Ik was jaloers op hun gelukkige levens, het gemak waarmee ze met elkaar omgingen. Ik wilde erbij horen. Ik dacht aan Victor. Niets wilde ik meer met hem te maken hebben. Ik verachtte deze types om hun arrogantie en de vanzelfsprekendheid van hun rijkdom. Ik haatte ze.

Deze zondag stond ik in de goal bij Heren 2. Zaterdagavond had de captain gebeld met de vraag of ik kon invallen. Ze moesten een belangrijke wedstrijd, die eerder was afgelast, spelen tegen de nummer één. Het seizoen liep al ten einde. Heren 2 kon nog kampioen worden, maar alleen als ze deze wedstrijd wonnen. De keeper had zich ziek gemeld, dat kwam heel slecht uit. Ik was apetrots dat de captain mij vroeg.

En nu keepte ik of mijn leven er vanaf hing.

Veel tijd om te turen en te peinzen had ik deze wedstrijd niet. Tijdens de rust kreeg ik van alle spelers complimenten. Het stond 2-1. Ik had slechts een keer de bal doorgelaten. Het schot was onhoudbaar. Daar was iedereen het over eens. Nog vijf minuten te spelen. De scheidsrechter had net gefloten en een strafcorner tegen gegeven. Ik was uitgelopen op een doorgebroken speler, wierp me voor hem op de grond, maar deed dat volgens de scheids te onbesuisd. Protesteren hielp niet: strafcorner.

Vanuit mijn positie midden tussen de medespelers zag ik hoe de bal vanaf de achterlijn werd geslagen naar de back die aan de rand van de cirkel klaar stond om met zijn zware stick uit te halen. Ik rende als door een katapult geschoten uit mijn goal.

Bezorgde gezichten keken op me neer.

'O, gelukkig Michiel, gaat het?' De captain keek vriendelijk en hield een hand onder mijn hoofd.

Ik voelde me duizelig. 'Ja, ik geloof het wel,' zei ik zacht en krabbelde voorzichtig overeind. Mijn masker was weg. Blijkbaar had iemand dat afgezet. Nog wat onzeker stond ik weer op mijn benen. Vanaf de zijlijn klonk applaus en gejuich.

'Doe maar rustig aan, joh. Je hebt de bal snoeihard tegen je hoofd gekregen. Het schot was zo hard dat je hem niet zag aankomen,' legde de captain uit.

'Gaat het wel keep? Je bent even bewusteloos geweest. Ik zou maar niet verder keepen,' adviseerde de scheidsrechter.

'Jawel, er is niets aan de hand,' weerde ik vastberaden af.

'Weet je het zeker, Michiel?' wilde de aanvoerder weten en overhandigde me het masker.

'Ja, die paar minuten haal ik wel,' en ik zette mijn masker weer op.

Toen iedereen zijn plaats weer had ingenomen en de scheidsrechter floot voor het vervolg, kreeg ik nog een keer de handen op elkaar.

Bij het laatste fluitsignaal juichte het publiek en hoorde ik mijn naam scanderen.

'Mí-chiel, Mí-chiel, Mí-chiel, Mí-chiel.'

In het clubhuis kreeg ik van iedereen felicitaties en veel, heel veel bier aangeboden.

Om half acht kwam ik thuis. Ik kroop meteen in bed. Mijn ouders hoorden van de captain wat er allemaal was gebeurd. Hij had mij aangeboden me met de auto naar huis te brengen, omdat ik niet meer kon fietsen. Voordat ik in slaap viel, zag ik een meisje voor me. Fleur kende ik vaag van school. Plotseling stond ze vlak voor me en zei: 'Jeetje Michiel, wat goed van jou. Dankzij jou is Heren 2 kampioen geworden.' En terwijl ze dat zei trok ze een keurig wit sjaaltje van haar hals. Ze maakte het met haar tong nat en veegde een opgedroogd straaltje bloed van mijn voorhoofd. 'Dat masker heeft je leven gered.' Ze had me een kus gegeven, maar vooral het feit dat ze haar spierwitte sjaaltje met mijn bloed bevuilde had indruk op me gemaakt. Geen enkel hockeymeisje had mij ooit zo veel aandacht geschonken.

Helaas was Fleur een bloem zonder geur. Dat was beter dan Yvon, die naar zweet rook. Ze zoog zich gelukkig niet aan me vast en maakte niet de indruk te hard van stapel te lopen. Integendeel: de bh ging niet uit en hij leek nog dikker dan de enorme bh van Hannah. De herinnering aan haar spuug vermengd met mijn bloed was snel vervaagd. In plaats van de zachte huid van haar borsten aan te willen raken, moest ik eerder een pèp-pèp onderdrukken.

Het kwam eigenlijk wel goed uit dat Fleur net als ik niet erg verliefd leek te zijn. Ze wilde een vriendje, gewoon om er een te hebben. Om te kunnen zeggen 'ik heb een vriendje'. Haar beste vriendin had al een paar maanden verkering. Dat ging zo langzamerhand menens worden. En zij wilde natuurlijk niet achterblijven. Het was vast niet prettig altijd te moeten luisteren naar verhalen van je beste vriendin over een jongen die zo leuk was. Maar Fleur miste iedere kleur. Haar kleren waren nog fantasielozer dan zij zelf. Duffe bloesjes, nette beige ribbroeken - alles altijd gladgestreken - en donkerblauwe muntschoenen. Een kaktutje dat zóóó graag bijzonder gevonden wilde worden. Niets was minder waar. Niet geurig en kleurig, maar slechts keurig. Ze was zóóó saai. Dus wist ik niets anders met haar te doen dan zoenen, zoenen, zoenen. Zo lang tot het rond mijn mond net zo roze was als op mijn lippen.

Ik had tegen Tobias, Alexandra en Ingrid niets durven zeggen over Fleur. Met een hockeymeisje hoefde ik bij hen niet aan te komen. Mijn vrienden ging ik uit de weg en ik wist niet wat ik met Fleur aan moest. Langzaam voelde ik me weer wegzakken in het moeras van eenzaamheid. Ik vluchtte in een verdovende droom met in de hoofdrol de vriendin van Fleur. Veel jongens vonden haar een geweldig stuk. Ik viel vooral op haar gezichtsuitdrukking. Die was prettig brutaal. Het was overduidelijk: zij was veel leuker. Maar wat maakte het uit? Ze zou toch niets zien in een vetharige slungel. En er was nog een reden waarom het niet méér kon worden dan een droom. Dat leuke vriendje van haar vriendin heette Martijn. Hoe had hij dit voor elkaar gekregen? Altijd veel praatjes gehad, maar nooit actie ondernomen. Dan moest dit pure mazzel zijn.
Ik had Martijn al een tijd niet gezien.

We hadden er geen woord meer aan vuil gemaakt, maar sinds de waterworsteling in Italië was onze vriendschap voorbij. Toch was het nooit in me opgekomen om met zijn vriendin iets te willen. Zoiets deed je gewoon niet. Ze was bezet en ze dacht vast dat ik ook bezet was. En stel dat ik toch .... dan moest ze me leuk vinden. Mij leuk vinden! Kortom: het zat er absoluut niet in.

Na drie weken was ik wel zo'n beetje uitgezoend met Fleur. Een hit uit de top 40 deed uiteindelijk de deur dicht. Ze was helemaal weg van *Rock your baby* van George McCrae. En al vond ik dat nummer helemaal niets, daar ging het niet eens om. Het was de manier waarop Fleur weg was van iets of iemand. De woorden die ze daarvoor gebruikte, de toon waarop ze die zei, de blik waarmee ze dan keek, diezelfde mond te proeven, diezelfde ogen zo dichtbij te zien. Ik kon het niet langer verdragen. Alleen was ik zo een schijterd dat ik het niet durfde uit te maken. Versieren was al verschrikkelijk moeilijk, voor uitmaken kon ik helemaal de moed niet opbrengen. Het was Fleur zelf die het, samen met haar vriendin, een stuk makkelijker maakte.

'Michiel,' het viel me nu pas op hoe bekakt ze mijn naam uitsprak, 'ik en Maya snappen geen bal van wiskunde. Kan jij ons niet helpen?'
'Maya en ik,' zei ik zachtjes, maar dat hoorde ze niet door de telefoon. Maya. Mijn moeder had zeep die zo heette. Die rook lekker. Ik begreep niet waarom Fleur mij hiervoor vroeg, ik was helemaal niet goed in wiskunde. Misschien wilde ze opscheppen en laten zien dat ze ook een vriendje had.
Maar ik ging natuurlijk niet protesteren. Ik zwijmelde al bij de gedachte Maya even dichtbij me te hebben.

Op het schoolplein groette Maya wel altijd. Waarschijnlijk omdat Martijn en ik vrienden waren en omdat ik de vriend van Fleur was. Verder hadden we eigenlijk niets met elkaar. Ik zat op het atheneum en zij op de havo. Dat waren bij ons op school twee aparte werelden.

'Ja, best. Kom morgen maar,' zei ik een stuk enthousiaster dan Fleur had verwacht.

De volgende dag stonden Maya en Fleur klokslag vier uur op de stoep. Mijn moeder deed open, terwijl ik mijn kamer uitliep. Hangend over de balustrade keek ik, haren gewassen, puisten weggewerkt, naar beneden.

'Dag mevrouw, is Michiel thuis?' Wat vroeg Fleur dat weer beleefd. Mijn moeder vond haar een net meisje. Niet echt een aanbeveling.

'Je weet de weg, meisje, loop maar naar boven. En wie ben jij?' Er was wat ongeduld hoorbaar in moeders stem. Zou jij je niet eens voorstellen? Ze zei het niet, maar voor mij was de boodschap duidelijk. Mijn moeder was een kakmadam. Wat pasten zij en Fleur goed bij elkaar. Ik had zin om naar beneden te roepen: 'Ga jij maar met mijn moeder theedrinken, Fleur. Ik help liever Maya.'

'Dag mevrouw, ik ben Maya.' Ze zei het een tikkeltje uitdagend, heel subtiel. Dat beviel mij wel.

'Kom boven, dames. Jullie worden verwacht.'

Fleur betrad mijn kamer met een air van 'dit is mijn terrein'. Ik vergaapte me aan Maya die voor mij mijn kamer binnenging. Wat was het toch een stuk. Wat zag ze er leuk uit. Wat bewoog ze makkelijk.

'Verboden toegang voor langharig en/of werkschuw tuig.' Maya las de tekst van de sticker op mijn deur hardop voor. Zo hard dat mijn moeder het ook kon horen. Dat doet ze expres, dacht ik. Weer dat ondeugende.

Ook de ironie van de tekst ontging haar niet. Hoe ze er bij keek. Ze hield haar hoofd een tikkeltje scheef. Ik werd wee in mijn buik.

'Vinden je ouders dat wel goed, die sticker?'

'Nee, maar m'n moeder vindt het nog erger om hem eraf te halen, want dan beschadigt de verf,' zei ik terwijl ik de deur achter me sloot. Was het echt waar dat haar heerlijke geur nu al mijn kamer vulde?

'Ja, dat zou zonde zijn,' zei ze spottend. Het leek wel of ze direct duidelijk wilde maken dat ze me door dik en door dun zou steunen in de strijd tegen mijn moeder.

'Ga zitten.' Ik probeerde joviaal te blijven klinken, maar voelde me ook overdonderd door Maya.

'Zo, eerst even George, waar ligt'ie, Chiel?' Wat wilde Fleur hiermee zeggen? Kijk eens, Maya, mijn lievelingsplaat ligt altijd hier, of voelde ze al aan dat ze buitenspel stond in dit trio?

'Moet dat nou Fleur, ik ben een beetje uitgerockt met die George McCrae van je.' Langzaam maakte een gevoel van daadkracht zich van mij meester. Maya was geen droom meer. Ze was hier en ze leek iets in me te zien. Of speelde ze een gemeen spelletje? Ik was uitgelaten, maar ook op mijn hoede. Bang om gekwetst te worden. Niet weer een blauwtje lopen.

Fleurs lichaam verstijfde, haar stem klonk ijzig. 'Hoezo, waarom zeg je dat nou, Chiel. We hebben zo vaak genoten van dit nummer.'

'We?' Ze zei nooit Chiel, de trut.

Fleur deed alsof ze mijn reactie niet hoorde, legde de plaat op de pick-up en zette de naald op het zwarte vinyl. Op het moment dat George bij haar favoriete deel was aangekomen, zong ze met hem mee: *Take me in your arms and rock me.* Het had iets gênants.

Wat is ze toch nep, dacht ik, en moet je horen hoe ze *arms* uitspreekt, met een hete aardappel in haar mond. Maya leek zich weinig aan te trekken van de woordenwisseling, totdat ze zich opeens enthousiast tot mij richtte. 'Wat mooi die oranje en groene muren. Heb je het zelf geschilderd?' Stralende donkerbruine ogen. 'Ja, met mijn vader.' 'Wat lief van je vader.' Ze keerde zich naar Fleur. 'Hé Fleur, zet het maar af als Michiel dat wil. En we gaan toch wiskunde doen? Ik kan me niet concentreren met die herrie.' Met een diepe, overdreven zucht gaf Fleur zich gewonnen. Met haar ingehouden woede maakte ze een flinke kras op de plaat. 'Verdikkie, ook dat nog, bedankt hoor.' Zelfs van een vloek wist ze nog een keurig woord te maken.

'Kom op, luitjes, we gaan ons lievelingsvak doen.' Maya bleef opgewekt. 'Mag ik aan jouw bureau zitten, Michiel?' Hoe kan zo een lief meisje nou zo een vreselijke vriendin hebben, vroeg ik me af. Of zou Maya zo doortrapt zijn? Dat zie je wel vaker bij vriendinnen, alsof de knapste denkt gunstiger af te steken bij haar vriendin. Nee, Fleur is nep en Maya is echt. En ze speelt geen spelletje. Ik knikte bevestigend naar haar. Fleur ging meteen naast haar zitten aan het kleine bureautje. Ze was strontjaloers. In haar naïviteit had ze gedacht deze middag het middelpunt te zijn tussen twee mensen die elkaar nauwelijks kenden. En nu zat die slet gewoon te flirten met haar vriendje en hij leek er nog op in te gaan ook.

Ik bleef noodgedwongen staan achter de twee vriendinnen die aan mijn kleine bureautje zaten. Om het wiskundeboek open te doen, moest ik met mijn hand tussen hen door. Daarbij schampte ik per ongeluk lichtjes de arm van Maya. Een stroomstoot joeg door mijn hand en schoot door mijn hele lijf.

Mijn hart klopte zo heftig dat ik bang was dat ze het konden horen. Vlinders in mijn buik. Nu wist ik eindelijk hoe dat voelde. Knikkende knieën. Ik zag in gedachten een stukje Majazeep. Op de verpakking stond een vrouw in een rood met zwarte jurk die hartstochtelijk flamingo danste. Maya had net als de danseres prachtig golvend zwart haar. Ik haalde diep adem door mijn neus. Maya.

'Wat is er?' vroeg Fleur bits, zonder om te kijken, en omdat ik niet reageerde: 'Gaan we beginnen?' Fleur was uitgerangeerd en dat wist ze.

'Oké, wat snappen jullie niet?' Ik had niet gedacht dat ik hen zou kunnen helpen. Maar het lukte, zelfs al had ik mijn hoofd er niet bij. Op de havo was wiskunde blijkbaar toch iets meer mijn niveau.

Iedere keer als het niet te veel opviel, streek ik langs Maya's arm. Net toen ik een formule in het boek wilde aanwijzen, draaide Maya zich half om. In plaats van haar arm raakte ik even een borst. Ik voelde geen harde stof indeuken. Ze had toch echt een bh aan; ik kon de bandjes onder haar rode trui zien zitten. Het voelde zacht onder haar trui. En één ding was zeker: Maya had het gemerkt, misschien zelfs gewild. Terwijl Fleur een som probeerde te maken, keek ze me recht in mijn ogen en lachte.

'Leuke blouse.' Ik had lang nagedacht over wat ik deze dag aan zou doen. Het was een blauwwitzwartgeruite flanellen houthakkersblouse geworden. Ze aaide heel even met een vinger over mijn arm.

'Lekker stofje.' Moedigde ze me aan? Ging het onmogelijke waarheid worden? Wat was ze mooi, wat keek ze leuk, wat lachte ze lief, wat rook ze lekker.

Het was nu volkomen duidelijk. Fleur deed altijd haar uiterste best leuker te lijken dan ze was. Even was ik erin gestonken, maar nu ze naast Maya zat wist ik het absoluut zeker.

Ik besloot Maya die avond op te bellen, al zat ik wel met Martijn. Het was doodeng, maar een weg terug was er niet.

Een paar uur later stond ik bij Maya voor de deur, op het punt om aan te bellen. De zenuwen gierden door mijn keel, maar niet meer zo erg als toen ik opbelde. Ik kon de hoorn van de telefoon niet stil houden en had grote moeite mijn vinger naar het juiste cijfer van de kiesschijf te dirigeren. Om nog maar te zwijgen van mijn stem. Ik kon bijna geen woord normaal over mijn lippen krijgen. Nu kende ik haar spontane reactie. 'Oh, wat leuk dat je belt. Heb je zin om vanavond even langs te komen?' Het was wederzijds, ze had geen spelletje gespeeld tijdens de bijles. Toch bleef ik onzeker. Zou het straks aan zijn? Zou ze het niet snel weer uitmaken? Was Maya je van hèt? Ik drukte op de bel. Een vriendelijke vrouw in makkelijke kleren deed open en keek me vragend aan.

'Dag mevrouw, is Maya thuis?' vroeg ik keurig netjes.

In bed draaide ik de film terug. Wat een dag. Warme tranen welden op in mijn ogen. Maya's moeder had zich discreet teruggetrokken. Een vader was er niet. De kamer van Maya was veel kleiner dan de mijne, maar sfeervol ingericht. Buiten begon het te schemeren. De gordijnen waren al dicht. De kamer werd alleen verlicht door drie zilveren kaarsen. Met moeite had ik kunnen zien dat de muren paars waren. Een kast en een tafeltje waren zilver geverfd. Op Maya's bed lag een kleurrijke India-doek. Ze was er meteen op gesprongen en met haar billen op haar hielen gaan zitten. Haar hele verschijning had gestraald en was één grote uitnodiging. 'Kom hier,' zei ze met de liefste stem die ik ooit had gehoord.

Zachtjes hadden we elkaar gezoend, eerst alleen met de lippen, daarna hadden onze tongen elkaar begroet. Ik had niet eerder zo gezoend. Wat smaakte ze lekker. Geen kauwgom of tandpasta, maar Maya. Ik kon niet stoppen, maar wilde ook praten. En dat hadden we gedaan. Eerst over Fleur en Haio. We vonden het allebei niet moeilijk er een punt achter te zetten. Het stelde weinig voor. Ze begreep dat ik verbaasd was over haar vriendschap met Fleur. Ze kenden elkaar al vanaf de lagere school. 'En,' zei ze, 'als we samen zijn is ze heel aardig. Alleen met anderen gaat ze zich aanstellen.' Bijna iedere zin rondden we af met een kusje. Ouders, school, vrienden, alles kwam aan bod. Haar ouders waren gescheiden. Ze zag haar vader zelden, maar had een bijzonder contact met haar moeder. 'Wat heb je een heerlijke mond,' zei ze proevend. 'Maar niet zo lekker als die van jou,' antwoordde ik tussen twee zoenen door. 'Hoe weet je dat?' reageerde ze ad rem.

Zo kuskletsten we door totdat Maya haar trui had uitgedaan en haar bh losgemaakt. De bh was inderdaad van zachte stof gemaakt, dat had ik die middag goed gevoeld. Triomfantelijk had ze haar borsten ontbloot. Ze bleef me aankijken met haar prachtige ogen en de liefste-stem-die-ik-ooit-had-gehoord vroeg of ik ze aan wilde raken. De mooiste, geilste, lekkerste, zachtste borsten die ik me voor kon stellen. In gedachten verscheurde ik alle tieten die ik ooit op papier had gezien. Met beide handen raakte ik ze voorzichtig aan. Warm. De tepels kietelden mijn handpalmen. Een siddering ging door mijn ruggenmerg tot in mijn stuitje. Traag keek ik omhoog en vond twee donkerbruine ogen die me vragend aankeken. Ik verdronk.

De tranen vielen op mijn kussen. Ik voelde warme straaltjes over mijn wangen lopen en hoewel ik wist dat aan deze Eerste Echte Grote Liefde ook een eind kon komen, bedacht ik dat dit gelukstranen moesten zijn.

Maya moest je van hèt zijn.

Wat we allemaal besproken hadden wist ik niet meer precies, maar na een tijdje had ik gezegd dat ik Martijn niet wilde belazeren. Maya had me op het hart gedrukt dat het echt niet veel betekende met Martijn en dat Fleur het ook niet erg zou vinden. Toch wilde ik open kaart spelen met Martijn en wel meteen. En ook al stelde onze vriendschap niets meer voor, ik was bang dat hij me zwart zou gaan maken.

Martijn woonde bij Maya om de hoek, niet in een klein appartement, zoals Maya, maar in een ruim huis. De moeder van Martijn was verbaasd toen ze opendeed.

'Ha Michiel, hoe is het met jou? Lang niet gezien. Wat kom jij zo laat nog doen? Er is toch niet iets ergs gebeurd met je ouders?'

Ik dacht: ik kom uw zoon zeggen dat ik zijn vriendin in heb gepikt.

'Nee hoor, niets aan de hand. Ik moet alleen Martijn even heel nodig spreken. Hoe is het met u, tante Trudie?'

Even was ik helemaal uit het lood geslagen. Waar was ik mee bezig? Martijns moeder was doodziek. Gelukkig leek ze nu een opleving te hebben. Ze was op de been en oogde helder.

'Tsja, het ziet er naar uit dat het even beter gaat met me, maar we mogen van de dokter niet op een wonder hopen. Nou, vooruit, kom maar binnen, het klinkt nogal dringend. Maak het niet te lang. Jullie moeten gewoon naar school morgen.' Ze zei het aardig, met een toon van jíj komt er natuurlijk altijd in. Als ze de volgende dag zou horen dat ik het vriendinnetje van haar zoon had ingepikt zou ik er vast nooit meer inkomen.

Beneden in de gang hoorde ik al dat Martijn harde muziek op had staan. Toen ik de tweede trap opging herkende ik Deep Purple.

111

Sweet child in time, you'll see the line
The line that's drawn between the good and the bad
See the blind man shooting at the world,
Bullets flying ....

De zolder was donker, maar zodra ik de deur van Martijns kamer opende stond ik in het felle licht van een grote plafonnière. Wat heeft'ie toch een ongezellige kamer, dacht ik. Vooral de grote zwarte skai draaistoel was vreselijk lelijk. Het was Martijns pronkstuk, hij had geen smaak. Hoewel, hij hield natuurlijk wel van dezelfde muziek, op Deep Purple na dan, en nu ook van hetzelfde meisje.

Martijn stond met een koptelefoon op luchtgitaar te spelen. Het zag er houterig uit, op het orgel werd het niet veel beter. Ik bleef in de deuropening staan en keek de kamer rond. De vloer lag bezaaid met platenhoezen. Achter Martijn stond de *Pioneer* muziekinstallatie met grote zelfgebouwde geluidsboxen. Ik herkende de hoezen van Pink Floyd en Yes. Onze favoriete muziek. De muren hingen vol met de dromerige Science Fictionachtige affiches van Yes. Op Martijns bed lag de hoes van *Deep Purple in Rock* met de hoofden van de bandleden uitgehouwen in een rotsformatie. Ik drukte twee keer snel achter elkaar op de lichtschakelaar. In één beweging draaide Martijn zich om en zette de koptelefoon af.

'Hé, Chielo, jij hier?' Heel even kon hij zijn verbazing niet verbergen, maar hij was niet van plan daar dieper op in te gaan. 'Te gekke muziek man.'

'Hé, Martijnoo,' groette ik gemaakt opgewekt.

'Wat kom je zo laat doen, ik ga zo naar bed. Ik heb het eerste uur een wiskunderepetitie, die ik niet heb geleerd.'

Ik schrok van het vak, wiskunde, maar liet niets merken. 'Wacht, ik zet even wat anders op.

Hij pakte een hoes met een koe erop. *Atom heart mother*, Pink Floyd. Heb ik het geluid op de boxen aan laten staan? Stom van me, ik heb mijn vader beloofd dat ik mijn moeder zou ontzien.'

'Gaat het wat beter met je moeder?' Martijn liet de naald met de lift zakken. Na een zachte tik klonken de eerste tonen van *Father's Shout*. 'Gaat wel. M'n vader doet lullig. Het lijkt wel of het hem allemaal te lang duurt.'

'Wat een klootzak, je moeder is een tof mens.'

'Ja, vind je?' Martijn zette de muziek wat zachter. 'Ik heb je toevallig vanavond nog gebeld, maar je was er niet.' Mijn hart klopte in mijn keel. Shit, nu moet ik... 'Moet je horen, ik heb vannacht een natte droom gehad.' Ik keek naar zijn blije gezicht. Nu pas, dacht ik, net als zijn schaamhaar en het haar onder zijn oksels. Ik heb nooit een natte droom gehad, omdat ik die altijd voor ben. Dat zal ik maar niet zeggen. Anderhalf jaar ouder en later met alles. En dan nog opscheppen ook. Toch mocht ik Martijn nog steeds wel.

'Zo, waar droomde je van dan?'

'Dat weet ik niet meer.'

'Niet van Maya?' Vader was uitgeschreeuwd, *Breast Milky* ging verder. Martijn draaide het volume weer harder. Hij baalde overduidelijk van mijn lauwe reactie op zijn nieuwe seksuele mijlpaal.

'Wie weet.'

'Martijn?'

'Mm.'

'Zet de muziek eens zachter, ik moet je iets serieus zeggen.' De krullenbol gehoorzaamde.

'Zeg het dan maar gauw, want ik ga nu echt slapen. Het is al bijna elf uur.' Dat kwam niet slecht uit. Hoe sneller, hoe beter.

'Ik weet niet goed hoe ik het moet zeggen.' Martijns hele gezicht zei: doe niet zo moeilijk, man. 'Weet je waar ik was toen je me belde?'

'Nee, hoe moet ik dat weten?'

'Bij Maya.'

'Nou, zit je daarvoor zo laat hier? Ik had al lang bedacht dat je niet thuis was, omdat je haar zou helpen met wiskunde.'

Ik zweeg. Langzaam begon Martijn zijn wenkbrauwen te fronzen. 'Of bedoel je.... is er iets gebeurd?'

'Dat kan je wel zeggen, ja.'

'Je wilt toch niet zeggen dat...'

'Dat wil ik wel.' Martijns stemming sloeg om. Hij deed opeens afstandelijk en nonchalant.

'Oh, is dat alles? Het was bijna uit.' Ik kon mijn verbazing niet verbergen.

'Vind je het niet erg dan?'

'Helemaal niet.'

'Ben je niet kwaad op me?'

'Kom zeg, ik heb zo weer een ander.' Niet zo een als Maya, dacht ik. Ik stoorde me aan zijn stoere houding, maar het scheelde wel veel ruzie. Ik stond op.

'Zal ik je nu maar met rust laten dan?'

'Ja, als ik morgen een vier of een drie heb is het jouw schuld.'

'Je bent dus wel boos.'

'Nee hoor, alleen moe.'

'Oké, de ballen dan.'

'Ja, laat ze niet vallen.' Ik glimlachte naar hem.

Terwijl ik naar beneden liep hoorde ik het romantische *If.* Martijn had de LP omgedraaid.

Ik bleef huilen. Ik was bang dat mijn ouders er wakker van zouden worden, maar ik kon niet meer ophouden.

Ik voelde de snikken tot onder in mijn buik. Ik zag mezelf in bed liggen en vroeg me af hoe het mogelijk was dat ik moest huilen, terwijl ik nu zo gelukkig was. Toen ik niet gelukkig was, huilde ik nooit. Een flard uit een Nederlands liedje kwam boven:

zing
vecht
huil
bid
lach
werk
en
bewonder

Net als de zanger herhaalde ik de tekst eindeloos. 'Zing, vecht, huil, bid, lach, werk en bewonder. Zing, vecht, huil, bid, lach, werk en bewonder.' Eerst steeds harder, maar daarna ging mijn volume langzaam naar nul en viel ik met een glimlach op mijn lippen in een diepe slaap.

10. Maya

Haar donkere haren wapperden in de wind. Het was voor het eerst warm genoeg om samen in zwembroek en bikini op het water te vertoeven. De zomer was in aantocht. Ik had de schoten vastgezet, zodat ik de boot met een arm losjes over de helmstok op koers kon houden. Ik liet Maya plekken zien waar ik kind aan huis was. Bij het eiland dat ik ook met Alexandra, Tobias en Ingrid bezocht had, dacht ik even aan de vorige keer dat ik hier was. Bevrijdingsdag. Hoe ik me voor het eerst gewaardeerd voelde, nog maar een maand geleden. Een week nadat ik verliefd was geworden, vertelde ik mijn drie vrienden over Maya. Ze maakten een vreugdedansje en omhelsden me. Ze zoenden me overal op mijn hoofd. Ik straalde van oor tot oor. Dit was voor hen het moment geweest te onthullen dat ze van het begin af aan hadden geweten wie de onbekende dichter en toneelschrijver was. Eerst was ik wit weggetrokken. Naakt, kwetsbaar, overgeleverd aan de anderen. Ze hadden me door elkaar geschud en geschreeuwd. Toen ik hun gezichten goed bekeek, wist ik genoeg. Angst maakte plaats voor trots.

En nu gleed ik met Maya over de rustige plas. Het water knabbelde zachtjes aan de buik van de boot. Ik genoot iedere dag van Maya's ondeugende koppie, brutale lach, lieve kuiltjes, tedere stem. Ze rook verrukkelijk en voelde zacht. Alles was zacht aan haar. Haar huid, haar lach, haar krullen. Mijn ogen bestudeerden ieder plekje van haar lijf. Borsten, buik, navel, dijen, mond, handen,…..

Dit was geen gluren. Dit was bewonderen en genieten. Ik bekeek haar zonder enige schaamte en zij liet zich bekijken. Ook al kon ik haar blik door de zonnebril niet goed zien, ik kende de taal die haar ogen spraken. Ze vond het heerlijk als ik zo naar haar keek.

'Hé Chiel, wat is rietzeilen eigenlijk?' Zonder antwoord te geven liet ik de boot vastlopen in het ondiepe water waar gouden rietkragen in het zonlicht stonden te wuiven. Maya keek me verwachtingsvol aan. Van dichtbij zag ik de minuscule haartjes rechtop in haar kippenvel staan. Ze rilde. Ik legde een handdoek over haar schouders, sloeg een landvast om een pluk rietstengels en legde er een knoop in. Vervolgens spreidde ik een badhanddoek uit over de vlonders en nodigde Maya uit te gaan liggen. Ze legde de zonnebril in een kastje en vlijde haar heerlijke lichaam op het harde hout. Maya's ogen volgden mijn bewegingen op de voet. Terwijl ik voorzichtig op haar ging liggen, zei ik met een wellustige, diepe stem: 'Wat we nu gaan doen heet rietzeilen.' Door op mijn ellebogen te steunen kon ik goed haar gezicht bekijken en deed ik haar geen pijn met mijn volle gewicht. Onze buiken begroetten en streelden elkaar. 'Naveltje, naveltje,' fluisterde ze in mijn oor. Er ging een rilling van geluk door me heen. Maya's blik zei dat ze het voelde. Ze drukte zich even iets steviger tegen me aan, alsof ze wilde zeggen: 'Ik weet het, schat, ik ben ook gek op jou.' Vervolgens tuitte ze vragend haar lippen. Ik stak het puntje van mijn tong ertussen. Ze lachte haar tanden bloot, waardoor ik haar stralende gebit kon aftasten, en ze hapte naar mijn tong. Voorzichtig, maar met kracht, zoog ze hem in haar mond en liet ze onze tongen met elkaar spelen. Ik probeerde de onvermijdelijke erectie te beteugelen. Ajax – Feyenoord, Ajax – Feyenoord, Arie Hááááán…. Naast! In een vloeiende beweging strekte ik mijn armen, duwde me omhoog en stond rechtop.

'Kom, je wilde toch zeilen leren vandaag?' Ik wilde me omdraaien om de boot los te maken. Maya keek recht in m'n kruis, waar het net weer wat tot rust was gekomen en zei spottend: 'Ja, ja, dat zal wel.'

In de eerste week wilde Maya alles weten over Martijn en mij. Ze zei dat ze niet begreep wat er tussen ons speelde. Martijn had haar nooit veel willen vertellen. Ik durfde niet te vertellen wat in Italië gebeurd was. Liever zette ik Martijn in een kwaad daglicht. Maya zou mij vast leuker vinden als ze hoorde dat hij een praatjesmaker was. Dus begon ik liggend op haar bed met de carabinieri.

'We probeerden na een uitstapje terug naar de camping te liften. Al bijna een uur zoefden auto's vlak langs ons. Plotseling schrok ik op van een politieauto die keihard remde en ongeveer twintig meter voor ons met veel lawaai tot stilstand komt. Achterop de auto stond 'Carabinieri'. Ik begreep niet wat er aan de hand was en verbaasde me dat uit zo'n klein autootje vijf grote kerels konden komen. Ze lieten de portieren open staan. Met woedende gezichten achter de spiegelende glazen van hun zonnebrillen liepen ze op me af, duwden me opzij en stelden zich dreigend vlak voor Martijn in een halve cirkel op. De hele situatie was absurd. Er stond al een flinke file, want de politieauto was midden op de drukke weg gestopt. De inzittenden van wachtende auto's keken ongeduldig, maar ook nieuwsgierig. Ik kon Martijn nauwelijks meer zien door de kleerkasten die zich over hem bogen. Na enkele ogenblikken draaiden de carabinieri zich om, duwden me weer opzij, propten zich in het wagentje en verdwenen in de verte. De rij auto's zette zich toeterend in beweging. Ik keek in het beteuterde gezicht van Martijn en vroeg wat die engerds van hem moesten.'
Maya luisterde met volle aandacht.

'Martijn blies met bolle wangen een mondvol lucht tussen zijn lippen door en zei: "Stik! Wat een klootzakken!"' Ik imiteerde Martijn door mijn stem iets zwaarder te laten klinken om duidelijk te maken dat Martijn stoer deed. 'Hij probeerde, zoals altijd, laconiek te doen, maar ik wist dat hij hem kneep. Ik vroeg wat er dan aan de hand was. "Ze waren een beetje boos," zei hij, "misschien omdat ik spuugde." Ik begreep er niets van. "Ja, ik was het zat, al die geintjes van mensen die langsrijden. De één wijst lachend naar het dak van zijn auto, de ander steekt z'n duim op en dan doet iemand net of 'ie stopt." Ik vulde hem aan. "Of ze gebaren dat ze hier moeten zijn of ze kijken de andere kant op, maar waarom spuugde je dan?" "Nou, ik zag weer iemand naar het dak wijzen en ik had niet meteen door dat het politie was. Toen spuugde ik boos op de grond." "Dat kan je hier dus beter niet doen. Wat zeiden ze dan?" "De middelste prikte alsmaar met een vinger in m'n borst en ze ratelden achter elkaar in rap Italiaans tegen me. Ik begreep er geen bal van." "Ze wilden je gewoon bang maken, die collega's van je vader." Ik gaf Martijn een dreun op zijn schouder. "Collega's? Dit soort types heb je in Nederland gelukkig niet. Ik krijg steeds meer zin om terug te gaan." Martijn was echt bang geworden. Er was helemaal niets over van die stoere vriend van mij. Van liften kwam niets meer. We legden de rest van de weg druk kletsend af. Martijn wist niet van ophouden. Hij vertelde sterke verhalen van zijn vader over de Nederlandse politie. Hij dacht zeker dat ik dan snel zou vergeten dat hij net bijna tien kleuren in zijn broek had gescheten.'

Tot dan toe had Maya niet laten merken wat ze van het verhaal vond.

119

Maar nu riep ze opeens verontwaardigd: 'Jezus Michiel, waarom doe je zo lullig over hem? Het was toch ook doodeng met die kleerkasten. Alsof jij niet bang geweest zou zijn.'

Ik schrok me wezenloos en in plaats van toe te geven dat ze gelijk had, gooide ik er nog een schepje bovenop. 'Nou, maar ik heb nog niet verteld wat er op de heenweg gebeurd was,' stotterde ik. Maya keek me vragend aan, dus ging ik snel verder.

'De laatste dag moest en zou er iets gebeuren. Met een verhaal over kleine kinderen en slap gelul konden we niet thuiskomen. We verlieten de camping voor een bezoekje aan een dorp tien kilometer verderop. Op een dagelijks uitstapje naar de winkel aan de overkant van de weg na, waren we de camping niet af geweest. Het werd toch echt eens tijd onze horizon te verruimen. We slenterden, sloom van de warmte, naar de weg en staken allebei onze duim op als een auto naderde.

"Jezus, wat rijden die idioten hard hier," merkte ik op. "Ik zal blij zijn als ik weer in Nederland ben."

"Nou, ik vind die Italiaanse vrouwen wel geil," reageerde Martijn overmoedig, "maar ze verstaan geen woord Engels."

"Maakt dat wat uit dan? Je durft toch niets."

"Jij wel dan?"

"Memmen en Eppo in de zeik nemen durf je wel, maar als een lekker stuk een beetje te dichtbij komt schrik je je de pleuris," vatte ik de vakantie samen.

"En wat heb jij dan allemaal gedaan? Jij scheet al in je broek toen ik die twee voor schut zette."

Ik zei dat dat onzin was, want het sloeg nergens op.

"O nee?" Martijn stopte met lopen. Hij wilde per se gelijk krijgen.

"Nee, ik pieste bijna in mijn broek," probeerde ik de stemming te verbeteren.

"Oké Chiel, laten we het maar toegeven. Het is een grote afgang."

"Kom op, man, wat ben jij opeens serieus. Ik vertel wel iets leuks. Zo gauw we weer terug zijn ga ik naar Turks Fruit," schakelde ik luchtig over.

Martijn somberde niet langer. "Wat is dat, een film?"

"Ja natuurlijk, heb je die foto niet gezien?" Ik hield op met liften en ging op een muurtje zitten. Martijn bleef tegen beter weten in zijn duim opsteken als hij een auto aan zag komen.

"Welke foto?"

"Hij stond in de krant of de tv-gids of zo. Ik zie hem zo voor me."

"Wat was er zo bijzonder aan dan?" Martijn had toen opeens meer aandacht voor mij dan voor het langsrazende verkeer. Hij stak nog een slap duimpje op en stond met zijn rug naar de weg. Ik kon hem altijd makkelijk opgeilen met dit soort verhalen.

"Nou, de hoofdrolspeelster, Monique van Veen of zoiets, heeft een leren jasje aan dat strak om haar grote tieten zit. De rits van dat jasje staat half open en je ziet dat ze er niets onder aan heeft."

"Zo." Martijn was een en al aandacht.

"In die film schijnt ze constant naakt rond te lopen. Op de foto houdt ze losjes een glas in haar ene hand en de andere ligt op haar buik."

"Je hebt wel goed gekeken, zeg," merkte Martijn spottend op, maar hij bleef geboeid. Ik liet me niet van de wijs brengen.

"Dat geile mokkel kijkt heel verleidelijk naar hoe heet hij ook alweer, je weet wel, die van Floris.

121

Daar ligt ze steeds mee te neuken."

"Hè, zie je dat allemaal op die foto?"

"Wat?"

"Dat ze neuken."

"Nee, man, doe niet zo stom. In die film natuurlijk."

"O," zei Martijn. Hij kon zo onnozel doen.

"Rutger Hauer."

"Wie?"

"Rutger Hauer. Die speelde Floris. Weet je nog wel?"

"Op tv?"

"Ja, die serie. Nou ja, laat maar. Hij heeft een arm om zijn verloofde."

"Verloofde? Zo hé, dat zal ze leuk vinden dat hij altijd ligt te rollebollen met een ander wijf."

"Wacht nou. Het moet nog komen. Op die foto staat ook de schrijver van het boek met zijn vrouw en die vrouw rookt een sigaar."

"Is dat alles?'

"Nee, ik ben nog niet klaar. Die schrijver staat vlak achter Monique van Veen en houdt een borst vast."

"Hè?"

"Ja echt. Hij heeft een hand onder haar arm doorgestoken en grijpt stevig in een borst."

"Terwijl zijn vrouw ernaast staat?"

"Ja en dat is nog niet alles. Hij kijkt je heel brutaal aan."

"Jezus, wat is dat voor stelletje…?" riep Martijn vertwijfeld alsof hij niet wist of hij het helemaal hartstikke tof of juist schunnig moest vinden.

Maya lachte naar me. 'Wat doe je dat grappig na en dat je nog zo precies weet wat jullie allemaal gezegd hebben,' onderbrak ze me. Ik ging snel verder.

'Dat was nog lang niet alles. Let maar op.

"Kijk eens achter je," fluisterde ik.

Ik had gezien dat een rode sportauto met een opengevouwen dak even verderop was gestopt. Achter het stuur zat een geblondeerde Italiaanse met net zo'n spiegelende zonnebril als de carabinieri. Ze wenkte. Martijn keek om. Zijn mond viel open van verbazing. "Huh, stopt die voor ons?" klonk het ongelovig. "Ja, voor wie anders?" Langzaam kwamen we in beweging. Enkele ogenblikken later stonden we oog in oog met een langgebeende, kortgerokte vrouw van een jaar of 25 die langzaam de poten van haar zonnebril in het geverfde haar stak. "Buongiorno, ragazzi." Haar stem was hees. We waren verbijsterd.'

Ik moest nu niet net doen alsof ik dit allemaal heel gewoon vond. Dat zou Maya nooit geloven. 'We wisten allebei niet waar we het zoeken moesten. "Hello," stamelden we beteuterd. "Jezus, Martijn, zie je dat jasje?"

"Leiedidovve?" lachte de Italiaanse ons toe.

"Ik versta d'r geen ruk van. Ja, natuurlijk zie ik dat. Ze heeft er niets onder aan."

"Verrek! Net zo'n jasje, net zo ver open." De vrouw bleef vriendelijk naar ons opkijken. Ze pakte het versnellingspookje en liet met een speels knikje weten dat we in konden stappen. "Hoe komen we daar in? Dat kan toch nooit op één stoel. Zeg maar dag tegen die filmster."

"Doe niet zo schijterig, man," zei Martijn, terwijl hij mij naar de auto duwde. Ik struikelde pijnlijk tegen het portier. Om de absurde situatie te redden stapte ik wrijvend over mijn knie in.

"Kom op, ik moet er ook bij," zei Martijn en drukte met een been zo tegen mij aan dat ik even de vrouw raakte. Ik voelde opwinding en afgrijzen tegelijk.'

Ik keek even naar Maya's gezicht. Ze staarde geconcentreerd naar de kleurige doek op haar bed. Ze leek het nog steeds grappig te vinden.

'Mijn keurige opvoeding deed alle alarmbellen rinkelen en het was mij meteen duidelijk dat dit een ordinaire vrouw was of erger. Daar moest je ver bij uit de buurt blijven. Aan de andere kant wilde ik Martijn niet het idee geven dat ik niet durfde.

"Sorry," zei ik klungelig en kreeg een vette glimlach. Na drie keer vergeefs proberen, kreeg Martijn het portier eindelijk dicht. De vrouw gebaarde met handen en schouders dat ze wilde weten waar de 'ragazzi' naartoe gingen.

"Garda," zei Martijn op z'n Hollands. De del haalde haar schouders op, zette de versnelling ratelend in zijn één en trok met piepende banden op. Ze keek even triomfantelijk naast zich en schakelde door naar de tweede versnelling.

"Ik kijk zo naar binnen, ik zie een tepel," riep ik blozend boven het lawaai uit, nadat ik een steelse blik in het jasje had geworpen.'

Weer keek ik schichtig naar Maya om te controleren of ik dit wel moest vertellen.

'Dit was de eerste tepel van een andere vrouw dan mijn moeder die ik in levende lijve mocht aanschouwen,' legde ik haar uit. Ze knikte alsof het volkomen vanzelfsprekend was wat ik had gezegd.

'Martijn brulde glunderend terug: "En ik kan zo in haar kruis kijken. Wat is dit voor type?"

"Niet het mijne, ik wil eruit. Dit is een kamikazepiloot."

"Kom op, man, dit is toch te gek. Hier wachten we al twee weken op," zei Martijn. Met veel bravoure streek hij de wapperende krullen uit zijn gezicht, schoof zijn zonnebril op z'n voorhoofd en keek vervolgens langzaam schuin naar beneden.

Hij was die dag duidelijk vertrokken met de bedoeling niet zonder een heel sterk verhaal thuis te komen.

"Ze heeft een rood slipje aan," schreeuwde hij. De Italiaanse keek goedkeurend naar Martijn.

"Garda!" riep ik dolblij en wees naar het bord langs de weg.

"Ah, Garda," bevestigde de coureur en trapte vol op de rempedaal. We vlogen hard tegen het dashboard. De platinablonde stoot lachte uitbundig.

"Bene. Ciao, ragazzi. Arrivederci!"

"Grazie, arrivederci!" zei ik in mijn beste Italiaans.

"Ciao. Arrivederci," zei Martijn haar teleurgesteld na. De Italiaanse keek ons beurtelings indringend aan. Martijn veerde op en fluisterde opgewonden:

"Michiel, let op, nou komt het!"

Dan klonk het nonchalant:

"Wat bedoel je met 'nou komt het', Martijn?" Ze zei het accentloos. Haar lach knalde als een zweepslag. We stonden verbluft, met stomheid geslagen aan de grond genageld. Zonder om te kijken zwaaide ze achteloos, terwijl ze weer met piepende banden wegscheurde, een dikke rookwolk, twee zwarte strepen en twee open monden achterlatend.'

Maya had ademloos zitten luisteren. Bij de onverwachte ontknoping keek ze me even ongelovig aan en barstte vervolgens in een vette schaterlach uit. Terwijl ik naar het plafond had liggen staren alsof het hele verhaal daar als een film te zien was, had ze in kleermakerszit naast me gezeten. Nu liet ze zich achterover vallen en zei nog hikkend van de lach:

'Jezus, Chieltje, wat kan jij goed vertellen.' Ze keek me aan, enthousiast en verbaasd tegelijk. 'Is dat echt zo gebeurd?'

'Ja, tenminste, zo herinner ik het me.'

Maya ging met haar billen op haar hielen zitten en was plots weer serieus. Ze keek me bewonderend aan, maar er ging meer in haar hoofd om.

'Wat is er?' vroeg ik, bang voor wat er kon komen. Ik ging zitten, recht tegenover haar en pakte haar handen.

'Nou,' begon ze aarzelend. Ze zocht naar woorden. 'Nou ja, je vertelt me eerst over die macho-politie met Martijn en als ik daar een beetje boos over word, kom je met een enorm lang verhaal. Geweldig om naar te luisteren. Maar ik begrijp nog steeds niet wat er met jullie is gebeurd. Jullie waren goeie vrienden en opeens niet meer. Ik snap niet waarom je zo negatief doet over Martijn. Dat is nergens voor nodig. Ik ben bij jou, omdat ik jou lief vind, Chiel, met puistjes en al.'

Zo, die zat. Nu liet ik me achterover vallen. Wat er allemaal door me heen ging mocht Maya absoluut niet zien. Ik voelde me betrapt en, nog veel erger, de enige manier om iets uit te leggen over Martijn en mij was haar te vertellen over ons watergevecht. Daar schaamde ik me voor. En het had te maken met iets dat ik heel diep had begraven. Dus restte mij niets anders dan op haar laatste vraag in te gaan. Een bekentenis zou het vast goed doen. Ik krabbelde overeind.

'Ja, je hebt eigenlijk wel gelijk. Ik ben... was niet veel beter. Weet je wat er de laatste avond is gebeurd?'

'Nee, daar heeft Martijn niets over gezegd.'

'Dat is aardig van hem, want hij had je kunnen vertellen wat een onverbeterlijke schijterd ik altijd was met meisjes.'

Maya keek me bemoedigend aan. Als ik haar niet af wilde stoten kon ik beter biechten dan afzeiken.

'We hadden aan het meer twee meisjes ontmoet en ze uitgenodigd om 's avonds naar onze tent te komen. Ze kwamen nog opdagen ook.

Uren zaten we te roken, Martijn niet, en te drinken, terwijl een gesprek moeizaam op gang kwam. Ik zei bijna niets. Niemand reageerde toen ik over de oorlog in Vietnam begon. Daar snapte ik niets van. Die vreselijke oorlog leek geen hond te interesseren. Allemaal lekker op vakantie, veel eten en drinken en vooral nergens aan denken. Martijn praatte aan één stuk door over sport. Ook niet echt een onderwerp dat de meisjes bezighield. De dames hadden niets te melden, afgezien van anekdotes uit voorgaande jaren die voor Martijn en mij niet bijster spannend waren. Ze kwamen al tien jaar op deze camping, want hun ouders vonden het zo fijn dat er altijd veel Hollanders stonden. Er klonk een paar keer 'Sssstt' uit de omliggende tenten. De oudste stelde toen voor om samen in de tent te gaan liggen. Ze moest minstens zestien zijn, want ze had het steeds over haar "Vespaatje" dat ze zo miste. En ze schepte op over een vriendje in Nederland, "maar we hebben afgesproken dat we in de vakantie vrij zijn".

"Gaan jullie maar in de tent. Ik blijf buiten," zei Martijn terwijl hij zijn slaapzak uit de tent trok. Hij legde hem in het natte gras en kroop erin.

"Ben jij zo galant of durf je weer niet?" zeikte ik hem af. De meisjes gniffelden.

"Nee, kom zeg, ik ga niet met z'n vieren in dat kleine kuttentje van jou liggen," bekte Martijn op zijn beurt mij af.

De jongste lag tussen mij en haar vriendin. Ik was klaarwakker. Martijn en die andere vielen snel in slaap. Ik deed alsof ik sliep, maar ik voelde dat de jongste, ze was iets jonger dan ik, denk ik, verwachtingsvol naar me lag te kijken. Stokstijf lag ik op mijn slaapzak, ik durfde geen beweging te maken en had het vreselijk koud. Hier wachtte ik al jaren op! De hele vakantie hadden Martijn en ik elkaar opgenaaid.

Het maakte me inmiddels niets meer uit, als ze maar een beetje leuk was en dat was ze wel. Maar nee hoor, Martijn lag buiten in het natte gras en ik bakte er ook helemaal niets van.' Maya aaide me liefdevol over mijn hoofd, terwijl haar blik me geruststelde. 'Een paar uur later werd ik wakker van Anoukje. Dat was een meisje van zes dat mij nogal leuk vond.' 'Dat kan ik me voorstellen.' Ik bloosde. 'Ze zat gehurkt voor Martijns hoofd. "Hé, Martijn, waarom lig jij buiten? Heb je ruzie met Michiel?" vroeg ze met haar hoge kinderstemmetje. Ik voelde steken door mijn hoofd jagen. Teveel goedkope wijn. Ik opende mijn ogen, zag dat ik alleen in de tent lag en riep naar Anoukje. "Nee, laat Martijn maar. Hij had het heet vannacht." Dat was de laatste nacht. De volgende dag kwam Martijns vader ons halen.'

'Ja, dat weet ik al. Maar wat schattig dat meisje. Ik zie het helemaal voor me. En hier zit zo'n verlegen sulletje voor me, nog op en top maagd.' Ik kreeg een plaagstootje en liet me gewillig omvallen. Voordat Maya me ging overspoelen met natte kusjes fluisterde ze in mijn oor.

'Ik snap na al je verhalen geen bal van jou en m'n ex. Dat ga je me toch echt een keer vertellen.' Ik knikte en dreef weg.

Mijn moeder vond Maya niet netjes en deed heel afstandelijk tegen haar. In tegenstelling tot mijn vader. Die vond Maya een 'pittige, spontane meid'. Moeder liep huilend van tafel toen hij dat zei. Waar ik totaal niet mee om kon gaan was dat Maya mijn vader sympathiek vond. Daarvan raakte ik totaal in de war. Ze zei een keer dat hij zo grappig en eerlijk was. Ik kon toen uren niets meer zeggen. Na lang aandringen barstte ik los:

'Hoe kan je die godvergeten klootzak nou aardig vinden, trut.'

Dat liet Maya niet op zich zitten: 'Jij hebt tenminste een vader, Chiel,' ging ze tegen me in.

'Nou, en wat voor een. Dan liever geen vader,' beet ik van me af.

Deze reactie deed Maya op haar beurt zwijgen.

Alsof ze veertig was vervolgde ze: 'Je weet niet waar je het over hebt, lul.' En luider: 'Jij gaat mij beloven dat je binnen een week met je vader hebt gepraat, pubertje.'

'Sorry,' zei ik klein, 'misschien moet ik maar eens ophouden mezelf zielig te vinden.'

'Jaaa,' veerde Maya op, 'Zo hé, hij snapt 't.'

Zielsgelukkig was ik dat Maya zich niet liet afschrikken door mijn stuurse houding en bij me bleef na mijn stomme uitbarsting. Ik liet Maya mijn eenakter "Fantasia" lezen om te tonen dat ik haar helemaal vertrouwde. Tijdens het lezen kwam ze tegen me aan zitten. Toen ze het uit had, kuste ze me eerst hartstochtelijk en zei daarna: 'Het is prachtig en wat heb jij een lef dat je dat durft op te schrijven!'

Maya's zonnestralen deden me sneller groeien. Aarzelend vroeg ik: 'Ben jij Fantasia?'

Lachend kneep Maya hard in mijn arm en legde vervolgens mijn hand op haar buik. 'Nee, voel maar. Ik ben echt.'

'Waar zijn je ouders, Chiel?' Na een lange dag zeilen stapten we rozig van de buitenlucht mijn huis binnen.

'O, die zijn naar Amsterdam, ze komen pas laat thuis.'

'Des te beter.' Maya gooide haar jasje op de grond en plofte in de woonkamer op de bank. Ze keek de ruime, klassiek ingerichte kamer rustig rond. 'Wat een mooie kasten allemaal en al dat kristal. Dat zal je bij mij thuis niet vinden.'

'Mijn moeder loopt alle veilingen af op zoek naar antiek. Ze is gek op mooie, oude spullen.'

'Hield ze maar wat meer van jou.' Ik smolt nog iedere keer als ze op deze manier naar me keek.

'Maar ze houdt wel van me. Ze houdt heel veel van haar kinderen, maar niet van mij. Van wie ik echt ben.'

'En wie mag jij dan wel zijn?' plaagde Maya.

'Ik ben jouw ridder op het witte paard.'

'Ja, ja. Zeker zoals in die stomme strips van je, zoals van die cowboy: *I'm a poor lonesome cowboy and a long way from home*,' zong Maya. 'Weet je, in die verhalen komen alleen boze huisvrouwen met een deegroller voor en van die hoerige types, geen enkele leuke vrouw.'

'Nou sorry hoor, dan ben jij mijn sprookjesprinses, goed?

'Klinkt al beter, maar ik ben geen sprookje. Ik ben echt, van vlees en bloed.'

'Daar ben ik nu wel achter, ja.'

'Wat doen je ouders trouwens in Amsterdam?'

'Naar het Concertgebouw. Ik ben een keer mee geweest, allemaal grijze muizen in een oud gebouw, die naar saaie muziek luisteren.'

'Saaie muziek? Heb jij wel eens van Rachmaninov gehoord?' reageerde Maya gepikeerd.

'Nee.' Ik bleef schrikken als Maya opeens zo'n harde toon aansloeg, alsof ze het meteen uit wilde maken.

'Ik ben nooit verder gekomen dan Ekseption.'

'Ja, jeetje, dat is toch niet klassiek.'

'Nee, maar dat was het wel.'

'Hoe bedoel je?'

'Nou, ze hebben die Beethoven en Bach enzo wat vlotter gemaakt.'

'Ach, het is een begin,' zei Maya met haar kin omhoog.

'Wat vind jij dan goeie muziek?' Ik bedacht nu pas dat we nog nooit muziek op hadden gezet na die irritante George McGray van Fleur.

'Eerst Adamo, toen Dave Berry...'

'Met die vingers '*You've got this strange effect on me and I like it*" Maya lachte om mijn poging Berry na te doen en veranderde plotseling in een sexy Française. *Je t'aime, je t'aime. Oh oui, je t'aime,*' hijgde ze in mijn oor. '*Moi non plus,*' antwoordde ik met een diepe basstem. '*Oh, mon amour.....*' Verliefder en geiler zou iemand nooit naar me kijken. Ik beloonde haar met een natte kus. Opgewekt ging ze verder. 'En toen The Monkees en natuurlijk The Beatles. Maar ook al snel klassieke muziek. Ik luister vaak samen met mijn moeder. Het eerste pianoconcert van Rachmaninov, en ook het tweede, echt super, hartstikke mooi. Of misschien moet jij eerst maar beginnen met Chopin. Zal ik je die eens laten horen?'

'Best. Ga je mee naar mijn kamer?'

Maya was een poesje dat spinde, kroelde, op haar rug ging liggen om haar buik en borsten te laten strelen. En ze leerde mij ook wat genieten is. Vrijen met Maya maakte mij meer mens. We praatten, streelden en zoenden tot we er bij neervielen. Ik verdronk keer op keer in haar mond, in haar ogen. De eerste keer had Maya meteen gezegd dat ze haar spijkerbroek aanhield, zelfverzekerd en overtuigend. Die eerste avond liet ze me in haar broek voelen aan de onderkant van haar wervelkolom. Daar ontbrak het laatste botje. Ik was destijds verbaasd door zowel het ontbrekende botje als het gemak waarmee Maya het liet betasten, maar haar jeans had ze aangehouden. Maya wist altijd precies wat ze wilde en dus ook wat ze niet wilde. Het stelde mij gerust. Ik had niet geweten wat ik had moeten doen als ze die broek wel had uitgedaan. We vreeën tot dusverre alleen met onze bovenlichamen.

Met dikke spijkerbroeken ging dat prima. Een opkomende erectie werd meteen afgekneld en teruggewezen. Deze avond hield Maya zonder iets te zeggen alleen haar onderbroekje aan. Het was anders dan anders. Maya haalde dieper adem dan normaal. Ze klemde mijn bovenbeen tussen haar dijen en duwde haar poenie - kut vonden we allebei een scheldwoord, kutje te kinderachtig en vagina voor de huisarts; het Surinaamse poenie voldeed prima - stevig tegen mijn been.

Ik voelde een stemming bij Maya die ik niet kende. Ze was heel dichtbij, maar ze leek juist verder weg, meer in zichzelf of met zichzelf. Ik begon me ongemakkelijk te voelen en zocht naar woorden. Maya was me voor. Ze zuchtte, eerder officieel dan verleidelijk, in mijn oor.

'Lieve, lieve, lieve Michiel, ik wil met je neuken.' Ik was helemaal overrompeld, vond dat ik 'ik ook met jou' moest zeggen, maar dat lukte niet. Ik stond voor de hemelpoort. Het moment waar ik al jaren op hoopte, naar verlangde. Ik durfde het paradijs niet te betreden. Ik maakte me los van Maya en wilde opstaan. 'Blijf bij me, nu niet weggaan. Wat is er gekkie?'

'Jij wilde het toch helemaal nog niet?' Maya stak een hand uit. 'Ben je bang, stoere jongen?' Ze stond op en trok me naar zich toe. Gedwee liet ik me op het bed vallen.

'Nou, zeg het maar tegen Maya. Waarom wil je niet met me neuken?' Ik moest lachen, eerst als een boer met kiespijn, maar daarna echt. Ik kuste haar op de wang. Hoe kon ik voor dit hemelse schepsel bang zijn?

'Wat ben je toch een lieverdje. Nog nooit heb ik iemand zo lief neuken horen zeggen. Ik vond het eerlijk gezegd wel rustig zo, zonder hèt. Beter kan vrijen met jou niet worden.'

'O nee, en hoe weet jij dat, flinke vent?'

Ik was ondertussen rustig op mijn rug gaan liggen. In een flits sprong Maya bovenop me, trok mijn armen opzij en drukte er met haar knieën op. 'Au.' Het deed echt pijn. Zo onstuimig kende ik haar niet. 'Zo, nu doe je alleen nog maar wat ik wil.' Ze hield mijn polsen stevig vast en ging op mijn onderbuik zitten. 'Ik wil wat jij wilt,' gaf ik me over. 'Zo mag ik het horen.' Maya grijnsde. 'Wat voel ik daar?' Ze voelde met haar hand onder haar billen. 'Wie komt daar ook eens even kijken?' Ik kon weer lachen. 'Je bent leuk. Hij wil met je neuken en ik ook.' 'Hè, hè, ik moet wel eerst lullen als Brugman zeg. Enne je gaat me geen pijn doen, hoor.' Ik wierp haar van me af en strekte me op haar uit.

'Ha, dit stoere vrouwtje is toch een beetje bang?' Maar Maya's lichaam was volkomen ontspannen.

'Nee hoor, bij jou ben ik in goede handen. En het is fijn dat we het allebei eng vinden.'

Ze zoende me lang en vol overgave. Daar waren de klemmende dijen weer. Zachtjes reed ze tegen mijn been. Nadat ik in een lelletje had gebeten, hijgde ik in haar oor. 'Is dit nou wat ze met een lekker geil wijf bedoelen?'

'Doe die broek liever eens uit, naar mannetje.' Terwijl ik haar bevel opvolgde, bewonderde ik haar van top tot teen. Zing, vecht, huil, bid, lach, werk en bewonder.

'Wat ben je mooi.' Maar ik kon het niet te serieus laten worden. 'Zeg meisje, zie ik daar een nat plekje in je broekje?'

'Michiel, doe niet zo flauw.' Ze werd echt ongeduldig. 'Ja, dit meisje heeft daar een nat plekje, omdat ze lekker lag te vrijen met een leuke, lieve jongen, maar die jongen doet nu stom, dat is omdat het voor hem de eerste keer is en daar wordt hij erg onzeker van.

Heb je die broek nou eindelijk uit? Anders is dit meisje straks zo droog dat dit ding,' ze pakte zonder gêne mijn stijve pik, 'nooit van zijn leven in haar kan komen.' Ze keek vol gespeelde verbazing naar wat ze in haar hand hield. 'Zo, zo, nou, nou, u heeft er zin in, meneer.' Ik wurmde mijn onderbroek uit en ging weer op Maya liggen.

'Oké schatje, weet je het zeker?' Ik aaide over haar gezicht en zag in ieder oog een traan glimmen. 'Stil maar. Nu ben ik serieus, meisje.'

'Ja, ik wil het echt. Ik heb het een keer eerder gedaan, maar dat was flut. Ik heb hem nooit meer gezien.' Ik kuste haar natte, zoute ogen.

'Dat gaan wij heel anders doen.'

'Ik weet het. Heb je condooms hier?'

'Ja, ik durfde hèt niet, maar condooms heb ik wel. Die heeft een vriend een paar maanden geleden gegeven. Hij vond dat het tijd werd.'

'Maar jij niet, hè?'

'Nu wel.' Ik voegde de daad bij het woord door uit mijn nachtkastje een condoom te pakken, het papiertje open te scheuren en redelijk bedreven het condoom over mijn pik te rollen.'

'Ik kom liever op je zitten.' Maya hield haar hoofd boven het mijne en tilde een been over me heen. Ik streelde haar borsten, terwijl ze tussen haar benen mijn pik pakte en hem voorzichtig naar binnen probeerde te helpen. We kusten elkaar teder. Opeens liet Maya zich naast me vallen. Ze zuchtte ongeduldig.

'Kut, vergeet het maar. Dat lukt dus mooi niet.'

'Wacht maar.' Ik zoende haar weer, richtte me op en liet mijn buik zachtjes over haar buik glijden. Ze kreunde.

'Kom maar in mijn genotsgrotje.'

'Hou je vast, hier komt de boortoren.'

We proestten het uit, konden niet meer stoppen met lachen. Ik stond op en zei heel formeel: 'Hooggeachte Majesteit, ook als op het neuken niet direct Gods zegen blijkt te rusten, mijn liefde voor u zal ongeëvenaard blijven.' Maya kwam niet meer bij van het lachen en wees naar mijn kruis. Daar zag ik aan mijn slappe piemel een propje condoom flubberen. Ik haalde het eraf en stortte me lachend naast Maya. Zij gaf me een kus en nu was het haar beurt om op te staan. Een beetje wiebelend, maar vastberaden, stond ze boven me met haar voeten aan weerszijden. Ik keek nieuwsgierig tegen haar op en zag vooral benen, poenie, buik en borsten. Ze liet zich ongegeneerd bekijken en sprak op een toon alsof ze zojuist gekroond was tot koningin. 'Geachte prins-gemaal, uw jongeheer mag er dan nogal slap bij hangen, u bent waarachtig het beste dat mij ooit is overkomen. Ik zou zelfs meer willen zeggen: ik heb u lief.' In plaats van een lachende onderdaan zag ze mij geschrokken tussen haar benen kijken. 'Jezus, wat heb ik gedaan?' Maya keek verwonderd naar beneden. Er liep een straaltje bloed langs haar been. En het straaltje ging over in grote druppels die op mijn buik uiteenspatten. Ik schrok me wezenloos en keek haar verbijsterd aan. Ze liet zich op me vallen, sloeg haar armen om me heen en fluisterde in mijn oor: 'Liefste Michiel, ik heb het je gezegd: ik ben van vlees èn bloed. Ik ben ongesteld geworden.'
'Kom, we gaan douchen, zoals op die poster,' stelde ik opgelucht voor.
'Ja, laten we water besparen.'

11. Eva

Stuurs keek ik door het zijraam van de grote, luxe auto naar de zwart-witte koeien in het weiland. Het malse gras leek ze goed te smaken. Naast me trok mijn vader de elektrische aansteker uit het dashboard, veegde hem routineus af aan de kokosmat onder zijn voeten, stopte hem weer in het gaatje en drukte hem in. Hij haalde een filtersigaret uit een pakje en stak hem aan met de aansteker die met een klik te kennen had gegeven klaar te zijn voor gebruik. De behendigheid waarmee hij de handelingen verrichtte verraadde zijn verslaving. Ik ademde de rook, die langzaam mijn kant op kringelde, diep in. Niet omdat ik zelf wilde roken - mijn vader wist niet dat ik rookte en had me honderd gulden beloofd als ik tot mijn achttiende niet rookte - eerder vanwege de herinneringen die met de geur van rook mijn bewustzijn binnen dwarrelden. Terwijl ik staarde over de groene vlakte gleden beelden uit gelukkiger tijden voorbij. Iedere zaterdagochtend reden we van onze woonplaats naar het dorp aan een dijk bij de waterplassen. Even buiten het dijkdorp lag de fabriek van mijn vader. We maakten dit ritje van nog geen tien minuten al jaren niet meer samen. Als ik naar de fabriek ging, was het om geld te verdienen en ik wilde niet afhankelijk zijn van mijn vader. Dus nam ik de fiets. De rook leek nu een hersenkwabje bereikt te hebben, waardoor het tot mij doordrong dat ik die zaterdagen met mijn vader miste. Al gaf ik dat liever niet toe.

Hij duwde de richtingaanwijzer naar beneden en draaide, sigaret in de mond, rechtsaf de dijk op.

'Zo, we zijn er weer bijna.'

'Ja.' Het laatste waar ik zin in had was praten met hem en dat was nu juist waar ik deze ochtend voor meeging. Praten was al jaren hetzelfde als ruzie maken. Ik slikte een volmondig 'nee' in toen hij gisteravond voorstelde weer eens met elkaar naar de fabriek te gaan. 'Ik zou het fijn vinden als je morgen met me mee gaat.'

'Hoezo dan? Ik wil uitslapen,' ontweek ik het voorstel. Frontaal in de aanval gaan durfde ik niet.

'We hoeven niet vroeg te gaan. Een uur of tien, half elf?' probeerde hij nog eens.

'Ik heb genoeg geld voor deze maand.'

'Nee, ik bedoel niet om te werken. Ik wil eens met je praten, als vader en zoon.'

'Nou, half elf dan,' stemde ik met tegenzin in. Al moest ik erkennen ook nieuwsgierig te zijn. Er was vast en zeker iets aan de hand. En het kwam eigenlijk heel goed uit aangezien ik Maya beloofd had met hem te gaan praten.

'Goed, mama wekt ons wel. Die is altijd vroeg wakker,' besloot hij opgewekt.

Ja, dat kan je wel zeggen. En jij weet waarom ze iedere ochtend in haar eentje zit te huilen, zei ik alleen hoorbaar in mijn eigen hoofd. Maar ja, ik heb het Maya nu eenmaal toegezegd. Maya, lieve mooie Maya, voor jou ga ik zelfs met mijn vader praten. En daarna gaan we samen lekker naar het schoolfeest. Even doorzetten, sprak ik mezelf bemoedigend toe.

Het was me deze ochtend opgevallen dat hij wel heel nadrukkelijk zijn best deed aardig te zijn. Ik was nota bene door mijn vader gewekt, een unicum. Van een klopje op mijn deur werd ik wakker. Ik hoorde zijn stem, terwijl hij discreet op de overloop bleef staan.

137

De enkele keer dat hij boven kwam, denderde hij altijd direct mijn kamer binnen om me de huid vol te schelden vanwege een vermeende misdaad.

'Knul, het is kwart voor tien. Kom je zo beneden? Doe maar rustig aan; we hebben de tijd.' Toen ik aan de ontbijttafel zat, vroeg hij of ik een leuke dag had gehad met Maya. Ja hoor, had ik afwerend geantwoord, waarop hij nog maar eens herhaalde dat hij Maya zo'n leuke meid vond. Zij jou ook, helaas.

Weer duwde hij de richtingaanwijzer naar beneden en draaide het pad op dat naar de fabriek leidde. Grint kraakte onder de zware wagen. Handig zette hij de grote witte Opel Admiraal langs de muur van zijn kantoor. We stapten uit, hij kwiek en vrolijk zwaaiend naar de buren, ik traag en nors kijkend naar de grond. Ondanks mijn slechte humeur kwam een prettige herinnering boven. Mijn vader vertelde ooit dat de 2,8 liter cilinderinhoud van die enorme slee goed was voor 87 paardenkrachten. Dat vond ik niet bijster interessant. Ik had in tegenstelling tot Martijn en veel andere jongens niets met auto's. Maar mijn vader had, toen hij merkte dat al die pk's geen indruk maakten, gezegd dat die grote bak wat hem betrof helemaal niet hoefde. Eigenlijk was de enige reden voor de aanschaf van die benzineslurper dat zijn klanten anders zouden denken dat het slecht ging met zijn bedrijf. Een directeur in een klein autootje was een slecht teken. 'Geef mij maar een simpel Deux Chevauxtje'. Dat kon ik wel waarderen. Liever 2 pk dan 87.

Ik bekeek vanaf een afstand hoe hij fluitend de deur van een grote schuur opende en naar binnen ging. Tientallen eenden kwamen luid kwakend van alle kanten naar hem toe waggelen. Met een emmer vol maïs kwam hij weer naar buiten en strooide die over het gras uit 'poule, poule, poule, poule' roepend. Nog steeds fout, dacht ik geringschattend.

Ik had mijn nauwelijks geschoolde vader eens uitgelegd dat hij niet 'kip, kip, kip, kip' naar zijn eenden moest roepen.

'Zo jong, kom mee naar binnen. Wil je een flesje Coca Cola?'

Nou, nou, dat mocht ik anders nooit om deze tijd. 'Fanta,' zei ik onhoorbaar. Hij wist nog steeds niet dat ik Cola vies vond. 'Je bent nog niet helemaal wakker, hè? Pak jij maar een flesje in de kantine dan zet ik even koffie.'

Ik opende een deur en liep de fabriek in. De geur van staal, roest en olie was onlosmakelijk met mijn vader verbonden. Achter de vele machines voor metaalbewerking en rijen werkbanken met bankschroeven stonden spuitgietmachines voor plasticproducten. Mijn juten anti-plastictas had ik thuisgelaten. Deze dag wilde ik mijn vader voor een keer niet provoceren. Ik dacht aan de vele zeilbootjes die ik hier had gemaakt. Het materiaal en het gereedschap dat ik nodig had was hier ruimschoots voorhanden en ik mocht altijd alles gebruiken. Als een bootje klaar was, sloeg ik een ijzeren krammetje in de boeg, knoopte er een touwtje aan en liep naar de sloot om het te water te laten. Wat ik nu met deze nostalgische beelden aan moest wist ik niet. Leuke herinneringen maakten me altijd in de war. Ik had een hekel aan mijn ouders. Klaar. Over en uit. Ik versnelde mijn pas richting kantine.

Uit het keukentje kwam het bekende aroma van koffie en sigarettenrook me tegemoet. Hij stond wat te rommelen met kopjes en schoteltjes. Ik liep het kantoor in, nam een flinke slok uit het flesje en zette het op de lange, houten tafel. Ik staarde naar het massieve brok gepolitoerde natuur. Hier werden belangrijke beslissingen genomen. Werknemers hadden mij toevertrouwd dat mijn vader heel goed luisterde naar zijn mensen voor hij een besluit nam.

Had hij thuis ook maar eens naar mij geluisterd.

Hij kwam binnen met koffie in de hand en sigaret in de mond, zette het kopje op tafel en liep naar het aquarium. 'Zo eerst de visjes voeren.' Hij tikte met een busje voer tegen de rand van de glazen bak, waarna tientallen bontgekleurde vissen pijlsnel naar het wateroppervlak zwommen. Ik probeerde naar hem te kijken door Maya's ogen. Wat zag zij? Zoals hij daar bezig was met zijn visjes leek het inderdaad een aardige man. Tot nu toe was hij de hele tijd de vriendelijkheid zelf. Had ze dan gelijk? Was het van mij niet veel meer dan wat puberaal gezeur? Ik deed mijn best een boer binnen te houden. Onder vrienden zou ik hem zo hard mogelijk hebben laten ontsnappen, maar nu liet ik de koolzuurhoudende lucht voorzichtig tussen mijn lippen doorglippen. Hij draaide zich om en keek naar me. Zou hij zien hoe onrustig ik was?

'Nou, pak je cola en laten we daar gaan zitten.'

'Fanta,' sputterde ik weer nauwelijks hoorbaar tegen. Hij luisterde toch niet naar me. Hij zag me niet. Ik had er al spijt van dat ik me door Maya had laten overhalen. Hij drukte de sigaret uit in een kristallen asbak, knikte naar twee leren fauteuils en pakte zijn koffie.

We zaten nog niet of hij stak van wal. 'Zo Chiel, laat ik er maar niet omheen draaien. Ik ga ergens anders wonen.'

'Wàt zeg je?!' Dit kon niet waar zijn. Na het gemurmel van deze ochtend klonk mijn stem nu hard en helder.

'Ik heb een vrouw ontmoet.' Hij zei het echt. Ik had naar zijn mond gekeken en deze woorden waren echt over zijn lippen gerold.

'Hoe... Hoe bedoel je?' Rustig nam hij een slok van de koffie. Hij zat erbij alsof hij dit gesprek al vaak geoefend had. Dit kantoor was zijn basis. Hij speelde hier een thuiswedstrijd. Hij voelde zich hier meer thuis dan thuis.

De klootzak.

'Ik bedoel dat er een andere vrouw in mijn leven is binnengewandeld.'

'Binnengewandeld!' spuugde ik. 'Doe normaal.' Ik dronk in een teug mijn Fanta leeg, liet een harde boer en keek hem brutaal aan. 'Michiel, alsjeblieft. Ik wil hier gewoon met je over praten. Je bent nu zestien jaar. Of heb ik me vergist?' vroeg hij streng en smekend tegelijk. Ik haalde mijn schouders op. Ik had het opeens ijskoud, maar voelde zweetdruppels onder mijn oksels parelen. 'Nou luister. Ik zal proberen je alles uit te leggen.' Hij wachtte niet op mijn instemming. 'Ik heb je moeder altijd bewonderd. Om haar schoonheid. Het was een heel mooie vrouw, dat is ze nog steeds trouwens. Ze leek precies op de plaatjes van filmsterren die ze als kind spaarde, weet je wel?' Ja, filmsterren. De schone schijn. Daar hield ze van. Ik keek even op, maar liet verder niets merken. Plotseling zag ik een heel klein mannetje tegenover me zitten. De minachting die ik de laatste jaren gestaag voor hem had opgebouwd, nam nu enorme proporties aan. 'En het is altijd een fantastische moeder voor jullie geweest.'

'Met kloven en ontstekingen als bewijs.'

'Zo veel als ze van jullie hield,' negeerde hij mijn toevoeging.

'Van jullie houdt,' zei ik zacht.

'Wat?' vroeg hij verstoord, maar vervolgde zonder op antwoord te wachten. 'Vergeet dat nooit. Ze heeft alles voor jullie over gehad. Maar Michiel, en ik vind het heel moeilijk om dat als vader tegen mijn zoon te zeggen, een man verlangt meer.'

'O ja, zoals?' vroeg ik koel als een politierechercheur, maar ik bedoelde dat ik dit niet wilde horen. Zoiets zegt een vader toch niet tegen zijn kind?

141

Zie je wel, ik heb een waardeloze vader.

'Je wilt het me niet gemakkelijk maken, hè? Nou goed, je kunt het krijgen, zoals je het hebben wilt. Je moeder heeft mij nooit veel liefde getoond. Daar heeft ze natuurlijk haar redenen voor. Niet dat ik denk dat ze niet van me heeft gehouden, maar misschien heeft ze mij ook wel vooral bewonderd.'

'Bewonderd?'

'Ja, om wat ik had bereikt als eenvoudige jongen. Ik heb jullie veel kunnen geven van wat wij zelf hebben gemist in onze jeugd.'

'Ja, aan materiële dingen geen gebrek,' zuchtte ik sarcastisch. Hij negeerde me weer.

'Maar van enige hartstocht heb ik nooit wat gemerkt.' Voor het eerst keek ik mijn vader echt aan.

'Wat bedoel je daarmee?'

'Eigenlijk heel simpel,' ging hij dankbaar verder, 'we hebben geen seks gehad. Tenminste, afgezien van jullie natuurlijk. Ik bedoel, toen we getrouwd waren, je weet wel dat we in de oorlog zijn getrouwd, omdat ik dan voorlopig niet naar Duitsland hoefde, hebben we een jaar gewacht. Eerst zei je moeder dat ze niet zwanger wilde worden vanwege de oorlog en ik heb de laatste maanden ook nog ondergedoken gezeten. Maar Hannah is negeneenhalve maand na bevrijdingsdag geboren. Toen die rotmoffen wegwaren hebben we het wekenlang iedere avond gedaan. Ook niet hartstochtelijk, bedenk ik nu, maar wist ik toen veel. Zo gauw je moeder merkte dat ze zwanger was, was het meteen afgelopen. Van de ene op de andere dag.'

'Deden jullie het nooit meer dan?' Hoe is dit mogelijk. Maya en ik zouden dagen achter elkaar kunnen vrijen, jaar in jaar uit.

Hij glimlachte naar me. 'Nee, mama zei dat de vrucht daar dood van kon gaan.'

142

'Dat is toch niet zo?' Ik had bijna 'dat is toch niet zo, pap?' gezegd. Dat nooit meer.

'Nee, maar wij wisten toen weinig. En...' Hij aarzelde en keek me indringend aan. 'Ik wilde je dit eigenlijk niet vertellen.' Ik veerde op.

'Wat niet.' Ik kon mijn nieuwsgierigheid niet meer verbergen. Ging hij over Michel beginnen?

'Goed, ik zal het je vertellen.' Hij nam een lange pauze. 'Tijdens de oorlog, in 1944 om precies te zijn, hebben we een kindje gekregen. Voor bevrijdingsdag hebben we het één keer met elkaar gedaan. Op onze huwelijksnacht. Je moeder was meteen zwanger, bleek later.' Het kostte hem moeite verder te gaan. Zijn ogen waren dof geworden, alsof ze naar binnen keken in plaats van naar mij. Hij zag vast niet dat ik bijna uit elkaar spatte. Hier kwam dan eindelijk na al die jaren mijn broer tevoorschijn. Te laat, godverdomme, veel te laat.

'Voor Hannah bedoel je?' speelde ik de onwetende. 'Maar waar is hij nu dan?'

'Dood....... Laat me even rustig alles op een rij zetten, Michiel. Ja, nog voor Hannah. Michel heette hij. Geboren op een schrikkeldag.'

'Michel...,' zei ik met een brok in mijn keel.

'Ja, Michel.' Ik voelde tranen over mijn wangen lopen. Eindelijk zag hij mij.

'Wat is er jochie?' Hij keek bezorgd en boog zich naar me toe.

'Hoeveel kinderen wilden jullie?' snikte ik. Ik hield het niet meer. Ik zou nu ieder moment het gevreesde antwoord krijgen. De kussens van de leren stoel leken sompig als een moeras.

'Tsja. Ik weet het niet. Ik wilde wel kinderen, maar dacht niet over een aantal na en mama wilde er wel drie of vier, denk ik.'

143

'Denk je?' vroeg ik met een dun stemmetje. Ik voelde me weer een klein kind en keek naar hem door mijn tranen.

'Ja, nou, ik weet het niet zo precies. Maar waarom huil je nu zo?' Het klonk oprecht.

'Ik dacht dat jullie altijd twee kinderen hadden gewild en dat Michel voor mij dood is gegaan,' bracht ik met moeite uit.

'Hè?'

'Ja, als hij was blijven leven was ik de derde geweest en dat is er één te veel.'

'Maar jongetje toch, wat heb jij in je hoofd gehaald? Dat is toch onzin. We hadden helemaal niet zo'n duidelijk idee daarover. Misschien waren er wel tien kinderen gekomen als....'

'En wat gebeurde er dan toen Michel doodging?' onderbrak ik hem. Hij stak snel een sigaret op, liep naar een kast en pakte daar een jeneverfles uit. 'Je gaat toch niet nu al drinken?'

'Laat me maar even.' Hij schonk een borrelglaasje vol tot aan de rand en slurpte het, voordat hij het oppakte, halfleeg. 'Toen begon een loodzware tijd. Ik was altijd druk met het opbouwen van een bedrijf, dat viel niet mee in die tijd. De begrafenis was een drama. Dat kleine kistje.' De ogen van mijn vader werden nat. Met trillende hand nam hij een trek van de sigaret, inhaleerde diep en blies krachtig uit. Hij sloeg de rest van de borrel in een keer achterover. 'Het kindje had geen anus. Dat overleefden baby's in die tijd niet. Het is maar twee weken oud geworden.' Hij staarde naar de punt van zijn schoen. Het duurde even voor hij verder ging. 'Na de oorlog werd je zus geboren. Mijn werk gaf mij afleiding, maar je moeder zat thuis met Hannah. Ik kon vrij snel verder met het gewone leven, al ben ik er nu nòg verdrietig over.

Je moeder heeft jaren nodig gehad om enigszins te herstellen. Misschien is ze er nooit helemaal overheen gekomen. Ik heb me daar in die tijd heel naar over gevoeld.'
'Naar? Schuldig!'
'Uh, ja,' reageerde hij aarzelend.
'Dat zal mama je wel ingepeperd hebben.'
Hij keek me onderzoekend in de ogen. 'Inderdaad. En al die jaren daarna hebben we geen seks gehad, totdat mama jou wilde.'
'En hier ben ik dan,' zei ik quasi laconiek. Mijn hart klopte in mijn hoofd en in mijn buik kolkten golven van emotie. Voor mijn gevoel had ik een boei van een kop. Maar hij zag niets. Hij lachte schuchter naar me.
'Ja, hier ben jij. Jouw geboorte was een enorme opleving voor ons. Het bedrijf liep goed. We konden twee keer per jaar op vakantie.' De foto's die zo vals getuigen van een blijde jeugd, klotste het in mijn hoofd. 'En mama kon al haar aandacht op jou vestigen.'
'En op Hannah.'
'Ja, maar die was natuurlijk al een stuk groter.'
'En deden jullie hèt toen weer met elkaar?'
Hij schrok iedere keer als ik zo'n directe vraag op hem afvuurde, maar hij leek zich steeds sneller te herstellen. 'Nee, na de weken waarin jij bent verwekt hebben we het nooit meer gedaan. En vanaf die tijd is het langzaam gaan knagen bij mij.' Zijn blik keerde weer naar binnen. Is dit bezorgde, kwetsbare mannetje mijn vader?
Op de rand van de asbak doofde de sigaret. Hij had hem daar na één trekje neergelegd en nu lag er alleen een lange, grijze kegel as.
'Zal ik nog een kopje koffie voor je inschenken?' Ik moest weg hier.
Hij keek wazig op. 'Ja, doe dat maar.'

145

In het keukentje zag ik Maya boven me staan. Ik keek tegen haar op en voelde de druppels vallen. Een rilling van gelukzaligheid liep over mijn rug naar mijn buik. Tegelijkertijd stak een schreeuwende, stekende hoofdpijn de kop op. Weer rilde ik van de kou en plakte het zweet de mouwtjes van het T-shirt aan mijn armen.

Op het moment dat ik de koffie voor hem neerzette en weer ging zitten, merkte ik op dat het jeneverglas gevuld was en dat hij een sigaret had opgestoken. Alcohol en nicotine gaven hem gek genoeg een opgewekte en jeugdige uitstraling.

'Ja jongen, al die jaren, zeg maar jouw leven lang, heb ik mij op m'n werk gestort en het fundament gelegd voor alles wat je hier ziet.' Hij maakte een wijds gebaar. 'Maar of ik nou echt gelukkig was, ik betwijfel het. Eigenlijk kwam ik daar pas achter toen ik Eva ontmoette.' Hij had totaal niet in de gaten dat ik verstijfde bij het noemen van de naam. Ze had ook nog een naam. Het was dus echt waar. Hij keek naar buiten waar de zon was gaan schijnen en zonder mij aan te kijken zei hij: 'Michiel, ik heb de vrouw van mijn leven ontmoet. Ze is pas dertig geworden, wel jong voor mij, maar ze is.....'

'Wat?!' brulde ik, dwars door de barstende koppijn heen, 'hoe kùn je? Ons verlaten! Voor een vrouw die je dochter had kunnen zijn.'

Hij trok wit weg. 'Maar...'

'Het is zo.... zo hartstikke cliché. Ouwe vent valt voor jong grietje. En nu moet ik zeker trots zijn op hàar borsten?' Ik keek woest naar hem. De beer was los.

'O ja, dat heb ik echt ooit tegen je gezegd,' zei hij beschaamd, 'dat je trots moest zijn op de borsten van mama.' Hij bloosde. Volgens mij niet om de oude borsten van mijn moeder, maar vast omdat ik het over de nieuwe tieten van deze zogenaamde Eva had.

'Hoe kan je dit doen?' Ik wilde opstaan en wegrennen, maar hij legde een hand op mijn knie en hield me tegen. 'Het spijt me, echt. Alles wordt nu zo veel duidelijker. Geloof me, Michiel,' smeekte hij op meelijwekkende toon.

Ik schatte mijn vaders waarde. 'Geef me een sigaret,' beval ik na lang stilzwijgen.

'Jij rookt helemaal niet,' klonk het stomverbaasd. Toch volgde hij het bevel op, presenteerde onderdanig een sigaret en gaf vuur. 'Alstublieft, mijnheer,' probeerde hij luchtig te doen. Ik nam een trek, inhaleerde diep en lachte om zijn onnozele gezichtsuitdrukking. De nicotine en mijn machtspositie maakten me wat rustiger.

'Toch wel, maar wat weet jij nou eigenlijk van mij?' vroeg ik spottend.

'Naar die honderd gulden kan je nu dus wel fluiten,' trachtte hij zich te herstellen.

'Kan me helemaal niets schelen, pa. Maar dan ook geen ene reet.'

Hij kon een zenuwachtig lachje niet onderdrukken. 'Michiel, de eerste avond dat ik bij haar was, keek Eva me diep in de ogen en zei: "Gerard, ik hou van je. Ik houd zielsveel van je." En weet je wat er toen gebeurde?'

Ik zakte onderuit in de stoel, nam een lange trek en keek hem door toegeknepen ogen aan. 'Ik huilde en ik kon niet meer stoppen met huilen. De hele godvergeten klerezooi van al die jaren kwam eruit. Alleen door de manier waarop ze Gerard zei. Ze noemde mijn naam en ik bestond opeens.'

In plaats van begrijpend op hem te reageren, zoals hij verwachtte, sprong ik als door een adder gebeten op en raasde tegen hem, zoals hij zo vaak tegen mij had geraasd: 'Waar was jij al die tijd? Wat ben jij voor een vader?

147

Waarom heb je mij nooit gesteund? Waarom heb je mij nooit voorgelicht? Waarom altijd ruzie? Hoe kan je nou weglopen van je gezin? Hoe kan je mij alleen laten? God-ver-domme, godver-gloeiende-god-ver-domme,' stampvoette ik. 'Michiel, ho, ho, ho.' Hij keek tegen mij op en haalde diep adem voordat hij verder ging. 'Ik ben zo blij dat jij een leuk vriendinnetje hebt, dat weet je. Je bent nog maar zestien. Ik heb daar vijfenvijftig jaar over gedaan. Jij bent dus veertig jaar eerder. Steun jij nou je kinderen van het begin af aan. Wij moeten allemaal moeilijke dingen verwerken in ons leven. Als ik eerlijk ben, al die ruzies over bloot op tv en over politiek. Het was woede, frustratie en misschien ook wel jaloezie. Misschien was ik er wel jaloers op dat jij al zoveel eerder wat van je leven kan maken. Daar had ik jou niet mee mogen opzadelen. Dit soort dingen werden mij pas duidelijk toen ik de dag voor bevrijdingsdag Eva ontmoette.'

'O, vandaar. Dan is dat nu tenminste ook duidelijk,' zei ik onverschillig.

'Wat?'

'Ik vond je die ochtend al zo aardig, toen ik vroeg of we de BM mochten gebruiken.' Maar dit deed er allemaal niet meer toe. Hij praatte alleen over zichzelf. Hij zag mij niet.

'Ja, dat was inderdaad in díe week. Een mens wordt een stuk aardiger als hij gelukkig is. Ga je vanavond met Maya naar dat schoolfeest?' Nee maar, hij stelt een vraag. Maar het is te laat.

'Laat Maya erbuiten. Bemoei je niet met mijn leven. Je hebt mijn leven verpest. Jij hebt niets met mij te maken. Je ziet me niet eens. Egoïstische klootzak. Ga jij maar lekker met je Eva neuken. Ik heb gisteren met Maya geneukt en vanavond gaan we lekker weer neuken,' spuugde ik in zijn gezicht.

Ik bukte om de kristallen asbak te pakken. Het ding was zwaarder dan ik dacht. Mijn vader volgde volkomen verbouwereerd mijn bewegingen. Ik draaide me van hem af, liep naar het midden van de ruimte en bleef een meter voor het aquarium staan. De visjes zwommen rustig tussen de waterplanten. Een zuurstofpompje blies belletjes. Het waterleven werd verlicht door de lampen die in het aquarium schenen. Een bonte schakering, best mooi. Ik keek naar de asbak en woog hem in mijn hand. Het kristal flonkerde in een bundel zonlicht. Opeens leek al mijn woede zich in het zware edelglas samen te ballen. Zonder naar mijn vader te kijken haalde ik mijn arm naar achteren, slingerde hem met kracht naar voren en liet los. De tijd stond stil.

12. Feest

Here comes the night
I'm scared to death, got to get me a ride
It looks like the road is swallowing me up
Got to hurry home, don't dare to look back

Een eendenfamilie dreef langs de steiger. Aan de twee kuikens was nauwelijks te zien dat ze jong waren. Volgroeid, met een enigszins donzig verendek. Het waren vooral de ouders die met hun onrustige heen en weer peddelen duidelijk maakten zich nog altijd verantwoordelijk te achtten. Ik had vaak gezien dat een nest met meer dan tien kuikentjes begon. Binnen een week had moeder natuur daarvan al meer dan de helft tot zich genomen. Enige reden voor paniek had dit ouderpaar dus wel. De diepblauwe en -groene veren van het mannetje glommen schitterend in het schelle zonlicht en trokken veel meer aandacht dan zijn bruin en zwart gespikkelde gezinsleden. Ik hoorde mijn vader weer 'poule, poule, poule' roepen en constateerde, zonder daar iets bij te voelen, een diepe minachting.
Languit liggend op het steigertje keek ik tussen de planken door naar het zacht klotsende water. Het geluid deed me denken aan bevrijdingsdag. Pinky, Alexandra en Tobias. Ik had echte vrienden. Wat voelde ik me goed die dag.
De buitenlucht en de rust lieten de scherpste kantjes van de migraine verdwijnen. Ik trok mijn zwarte corduroybroek uit en legde hem naast mijn schoenen en sokken te drogen in de zon. De onderkant van de pijpen was doorweekt.

Schilfertjes glas en kristal glinsterden in de warme voorjaarszon. Ik plukte voorzichtig een guppie van de natte stof en liet het visje in het donkere water glijden. Zinloos. Het draaide op zijn rug en dobberde levenloos weg. Algen dansten sierlijk rond de palen die in de ondiepe sloot stonden. Ik kon de bodem zien. Een modderige, zuigende veenbodem. Als ik daar in zou gaan staan.... Een paar jaar geleden had ik mijn vader eens geholpen uit een sloot achter zijn fabriek te klimmen. We waren samen lisdodden aan het plukken. Hij wilde per se die ene dikke bruine sigaar waarvoor hij net iets te ver in de sloot moest gaan staan. Met een uiterste krachtsinspanning zag ik kans hem eruit te trekken. Zijn rubberlaarzen waren in de bodem achtergebleven. 'Godverdomme jongen, dat scheelde niet veel.' Ik was trots dat ik hem zo goed had geholpen. Zou ik nu weer tot het uiterste gaan?

Leeg was ik, afgemat. Ik doezelde. Op zacht kabbelende golfjes kwamen meer beelden boven drijven. Mijn gedachten veranderden in een archeologische vindplaats. Onder een golfplaten afdak liet ik met fijne mesjes en stofkwastjes het verleden beetje bij beetje tevoorschijn komen. Soms stortte een zandpilaartje in en kon ik opnieuw beginnen. Maar in de loop van de middag had ik alles uitgegraven. Ze keken me indringend aan. Iedereen was zichtbaar in zijn volle betekenis. Willem was een zak stront, Martijn een flapdrol, Victor een kakbal. Ik was zelf geen haar beter, een schijterd. Leuke, lieve mensen, zoals Maya, Tobias, Ingrid en Alexandra kenden me niet echt. Ik had ze voor de gek gehouden en zij waren er in gestonken. En Hannah, mijn irritante zus, kon er eigenlijk niets aan doen dat ze altijd zo rot had gedaan tegen mij. Zij had het al die tijd al geweten van mijn ouders, hoe slecht hun huwelijk was. Ze moest het toch op iemand afreageren.

Mijn moeder strekte haar armen naar me uit. In haar hals waren grote, rode vlekken te zien. Snikkend smeekte ze: 'Kom terug, weet je wel wat je me aandoet? Wat zullen de mensen hier van denken?' Dat zal me aan mijn reet roesten, mama. Vader stond te vloeken en te tieren. Het maakte me allemaal niets meer uit. Mijn gedachten raakten op drift. Ik ben niets waard. Michel had moeten blijven leven, dan was ik nooit geboren. Mijn vader liegt. Ze wilden twee kinderen. Ik had nooit geboren moeten worden. Punt. Uit.

Een takje dreef in mijn richting. Ik strekte mijn arm en klemde het tussen wijs- en middelvinger. Het van water verzadigde hout brak toen ik het wilde buigen.

Auto's toeterden vlak voordat ze passeerden. Ik voelde het plukken aan mijn kleren. Met Martijn liep ik in Italië ook zo langs een weg. Martijn. Met hem had ik het ook al verpest. De auto's zogen. Vooral vrachtwagens hadden veel zuigkracht. Ik zette me schrap als er weer een voorbij raasde. In de verte achter mij hoorde ik het volgende bakbeest aankomen. Het geronk van de zware dieselmotor liet zich al goed horen. Flarden teksten van Golden Earring zongen in mijn hoofd. Deze avond zouden ze tijdens het schoolfeest optreden. Een fan was ik niet, maar Hannah draaide hun platen grijs toen ze nog thuis woonde. Ik kon de teksten dromen.

It's always good to be back home

Kaarsrecht was de dijk. Aan beide zijden werden stukken weiland hier en daar afgewisseld met een boerderij. Waar was ik naar op weg? Thuis was voorbij. Niks te 'back home'. Maar wat erger was, ik kon Maya niet meer onder ogen komen. Ze geloofde het niet, ze zou het niet kunnen geloven, als ik vertelde wat er was gebeurd.

'Ga met je vader praten' en dan dit.

Maya, lieve mooie Maya. Wat bezielde me? Een stapje naar links en alles zou oplossen. Waarom zou ik me schrap blijven zetten? Nog maar een paar uur, dan moest ik de enige die er toe deed gaan vertellen hoe stom ik was. Hamers ramden op mijn trommelvliezen en meldden een hartverscheurend getoeter. Op het moment dat ik me mee wilde laten nemen, greep iemand mijn arm en trok aan me.

Een ogenblik later besefte ik dat ik van de dijk afgerold was. Bovenop de dijk stond niemand. Mijn oren suisden. De veengrond trilde nog na van de voorbij gedenderde vrachtwagen.

I catch a branche and I break it in my hands
Like you broke my heart, oh I still can't understand
No mysterious mixture, can heal the wound you've made
Only time will bring peace to me, and now I just hate
Oh I'll break up and give it all up
No more lies, no more rainbow treasures
No more fairytales, no more games for me
It's my life, my life, a pleasure
There's just a little bit of peace in my heart
There's just a little bit of happiness I'll part
(…)
Despairing I'm going down on my knees
I'm begging, begging, begging, oh please
There's just a little bit of peace in my heart
There's just a little bit of happiness I'll part

De zanger/gitarist van Golden Earring schreef dit nummer, nadat de relatie met zijn vriendin was verbroken. Ze is weer bij hem teruggekomen. Een jaar later zijn ze getrouwd.

Een koele golf stroomde door mijn bonkende hoofd en spoelde de rest van de migraine weg. Misschien heb ik nog een kans!

Zing
Vecht
....

De leraren die bij de ingang van school stonden keken me onderzoekend aan. Ze kenden me niet, maar dat was niet de reden voor hun verbazing.

'Nou, nou, jij hebt je er echt op gekleed vanavond,' zei de een, terwijl hij me misprijzend van top tot teen bekeek.

'Ik ben wel wat gewend zo langzamerhand, maar jij slaat alles,' vulde de ander aan.

'In welke klas zit je?' kwam de eerste ter zake.

'3A2,' antwoordde ik droog.

'Dan moeten we je binnenlaten. Er is geen kledingvoorschrift,' lachte de tweede.

Zonder een woord te zeggen, liep ik door en stond plots oog in oog met Martijn. Voordat ik hem kon begroeten, sloeg hij me hard in mijn gezicht.

'Zo, die had je nog van me te goed.' Zonder op mijn reactie te wachten draaide hij zich om en liep weg. Nu wist ik niet of ik nog een rekening bij hem had openstaan vanwege Italië of vanwege Maya.

Mijn verschijning trok bij binnenkomst al meteen veel bekijks, de klap van Martijn zorgde ervoor dat er een kleine menigte om mij heen stond. De dreun galmde nog na, hij was goed raak geweest. Ondanks dat gaf het me een opgeruimd gevoel. In de gymzaal, die ook dienst deed als aula, werd door een discjockey muziek gedraaid. Hier en daar stond een plukje leerlingen. Het was nog rustig. Golden Earring was nergens te bekennen.

Een paar jongens uit mijn klas stonden stoer een wedstrijdje de Beatles tegen de Rolling Stones te spelen. Alsof het Ajax – Feyenoord was. De stand wist ik niet, maar de Beatles scoorden nu een goal, want de beginklanken van *She loves you* klonken uit de enorme geluidsboxen. Ik hoorde Hannah 'yeh, yeh, yeh' meezingen. De Beatlefans waren in mijn klas duidelijk in de meerderheid. Desalniettemin klonk het boegeroep van de Stonesfans harder dan het gejuich van hun tegenstanders. Ik negeerde hun blikken en zocht bekende gezichten. Maya was nergens te bekennen en ook Tobias, Ingrid en Alexandra zag ik niet. Ik liep terug naar de kapstokken, controleerde of niemand me zag en zakte in een donker hoekje in elkaar.

'Zo kerel, je ziet er goed uit.' Victor keek grijnzend op me neer. 'Je kan zeker wel een slok gebruiken?' De populaire popgroep was nu duidelijk aanwezig. Het hele schoolgebouw stond te trillen op zijn grondvesten. Boven mijn hoofd rammelden ruiten in hun sponningen.

She came down from far away and smiled at me
In one moment I found out how love can be
Then I realized that she had gone again
I've just lost somebody
A-ha, please let me dream

Victor liet me drinken uit een heupflesje, terwijl hij snoof alsof ik uren in de wind stonk. Sterke drank, waarschijnlijk whisky. Dat dronk ik nooit. De muziek verbaasde me. Ik had verwacht dat Golden Earring veel commerciëler, lekker makkelijk in het gehoor, zou spelen. Maar ze waren live best goed, al wisten ze natuurlijk niet wat echt toffe muziek was. Ik keek in het hatelijke gezicht van Victor.

'Kom eens mee, kerel.'

Moeizaam hees ik me op. Ik voelde me snel duizelig worden. Sinds het ontbijt had ik niets gegeten. De alcohol viel verkeerd. Wankelend strompelde ik achter hem aan richting lawaai.

> *Please go, before tears come from my eye*
> *You throw my love away I wonder why*
> *Now I am thinkin' what the reason could be*
> *You said you've got no other love that's a lie to me*
> *You know I really die if I should see*
> *You're making love to men no matter who it will be*

De zaal was nu stampvol. Langs de kant hingen wat muurbloempjes, verder was het een golvende, kolkende mensenmassa in een oorverdovende herrie. Ik voelde de koppijn weer mijn hoofd binnenstromen, alsof ik opnieuw een dreun had gekregen, maar de hardste klap moest nog komen. Victor sleepte me aan mijn broekriem naar het midden van de zaal. Met sadistisch genoegen pakte hij mijn kin en richtte. Ik keek naar een stelletje dat intiem stond te schuifelen. Ook al had ik hem in geen jaren meer gezien, die jongen moest Willem zijn. De superheld van mijn lagere school. Hij zat nu niet meer bij mij op school. Dat meisje had hem zeker als introducé meegenomen. Vanaf dat moment ging alles heel snel, al leek het *slow motion*. Het meisje draaide met haar gezicht naar me toe. Eerst drong het niet tot me door. Dit kon niet waar zijn. Mijn benevelde hersencellen bevestigden uiteindelijk wat mijn ogen al hadden gezien. Ik keek in het van tederheid overlopende gezicht van Maya.

> *Baby if you leave me*
> *I won't know what to do*

So darling do believe me
Oh my heart belongs to you
I know they say a lot of things
About me and what I've done
For baby that's loveless

Ik sloeg om mij heen, dook op Willem, rukte hem los en gaf hem, nog voor hij doorhad wat er aan de hand was, een harde stomp in zijn maag. Terwijl mijn voormalig idool naar adem lag te snakken, zag ik de van afschuw vervulde ogen van Maya. Smekend reikte ik haar mijn hand aan. Toen sprong de hele school op mijn nek.

'Laat me los. Ik wil niet. Blijf van me af.'
'Kom nou maar mee.'
'Verdomme, laat me los. Ik wil hem nooit meer zien.'
Ik ging rechtop zitten. Aan het eind van de gang zag ik vier mensen mijn kant opkomen. In het midden liep Maya. Aan weerszijden hielden Alexandra en Ingrid een arm vast en Tobias liep achter haar.
'Het is een goeie jongen'. Dat was Tobias. Hij nam het voor me op!
'O ja, slaan en stompen goeie jongens dan? Nou?' Maya klonk heel fel. Zo kende ik haar niet.
'Kom nou maar. Je zal er geen spijt van hebben.'
'En hoe weet jij dat zo zeker?'
'Tobias heeft gelijk. Het is een toffe gozer.' Dat was duidelijk Alexandra, de lieverd.
Maya verzette zich wat minder, maar ze stond niet vrijwillig voor me. Ik had in ieder geval nog steeds drie vrienden. Alexandra en Ingrid lieten Maya los. Maya keek woest naar hen. Tobias probeerde Maya te kalmeren.
'Luister Maya.

Het enige dat wij van je vragen, is om vijf minuten bij Michiel te blijven. We wachten aan het eind van de gang.'
Maya keek hen een voor een aan. 'Jullie zijn gek. Maar oké, vijf minuten dan.' Yes! Ze legde zich er bij neer. Aarzelend lieten Alexandra en Ingrid Maya los en deden een stapje terug.
'Maya, dit is niet onze gewoonte. Wij willen je niet dwingen. Maar nu zien we even geen andere uitweg,' legde Ingrid uit. Daarna keek ze mij zorgzaam aan. 'Gaat'ie een beetje, Chieltje?'
Alexandra vulde, wat minder subtiel, aan: 'Dit is je kans, Chiel, zet'em op.'
Ik knikte dankbaar en kreeg van Tobias ten slotte nog een stevige ram op mijn schouder. Ze draaiden zich om en liepen weg. Pas toen ze bijna uit zicht waren, spuugde Maya met ingehouden woede: 'Wat ben jij een ongelofelijke klootzak zeg. Als ik dat had geweten.'
'Gaat het weer een beetje met Willem?' vroeg ik besmuikt. Dit ging ik niet redden.
'Alsof jou dat wat interesseert.'
'Ik ken hem van de lagere school. We waren vrienden.'
'Ja, net als met Martijn zeker.' Ik schrok. Moest ik dat nu gaan vertellen?
'Hij was een jaar ouder en heel stoer. Ik keek heel erg tegen hem op. Na een tijdje ontdekte ik dat ik hem eigenlijk helemaal niet aardig vond.'
Nu barstte de bom. 'Ja, en dus sla je hem jaren later bijna het ziekenhuis in.' Haar stem sloeg over van boosheid. Het zag er niet naar uit dat ze me dit ging vergeven en ik had nog niet eens alles verteld. Maar we praatten. Dat was tenminste wat.
Ik kon het bijna niet uit mijn mond krijgen, maar ik moest het vragen.

'Wanneer ben je verliefd op hem geworden?'

'Wat? Verliefd? Hoe kom je daar bij?' Ik keek vast ontzettend dom toen ze dit vroeg.

'Nou, uhh,' sputterde ik onzeker, 'jullie waren zo *close* op de dansvloer'.

'Jezus, Michiel, jij weet het allemaal zo goed. Inderdaad, Willem was vroeger niet erg aardig. Maar hij is veel leuker geworden.'

Dus toch verliefd, dacht ik meteen. 'Ken je hem ook al zo lang?' vroeg ik voorzichtig.

'Ja, en weet je hoe dat komt?' Ze liet de vraag even op me inwerken en toen ik geen aanstalten maakte antwoord te geven, vervolgde ze: 'Hij is mijn neef. Gek, hè?' Ze wachtte even om er zeker van te zijn dat het kwartje viel. 'Michiel, zijn vader, mijn oom is gisteravond overleden. Ik was verbaasd dat hij toch naar het feest was gekomen. Hij wilde even het huis uit, vertelde hij en toen omhelsde ik hem.'

Vanuit de verte klonk een oorverdovend gejuich, nadat Golden Earring *Back Home* had gespeeld. Het enthousiasme werd nog groter toen het intro van *Radar Love*, hun nieuwste hit, de school vulde. Dit gaf mij even tijd te herstellen. Ik besefte dat het egoïstisch was, maar ik voelde een onvoorstelbare opluchting. 'Wat is Victor toch een smeerlap.'

Maya keek me vragend aan.

'Hij zag hoe ik eraan toe was...'

Het leek wel of Maya nu pas zag hoe ik erbij zat.

'...heeft me met sterke drank volgegoten en naar jullie toe geleid.'

'Dat is geen excuus,' zei ze streng, maar haar blik kreeg iets zachts. Zo bleef ze me even aankijken. Achter haar zag ik in de verte dat Ingrid, Alexandra en Tobias hun duim opstaken en wegliepen.

Ze merkte op dat ik even langs haar keek en draaide zich om.

'Wat was ik boos op dat stelletje vrienden van jou.'

'Was?' Ik probeerde zo lief mogelijk te kijken.

'Nee, ik ben nog steeds boos en je hebt me ontzettend laten schrikken. Die agressie toen je Willem stompte.' Haar hele lichaam smeekte me met een vertrouwenwekkend verhaal te komen. Ze bekeek me nog eens van top tot teen. 'Wat is er vandaag gebeurd, Michiel? Ik heb uren op je zitten wachten.'

***

Maya had het hele verhaal geduldig aangehoord. Halverwege waren we opgestapt en naar haar huis gelopen. Onderweg vertelde ik wat er in Italië gebeurd was. Ik was zo bang voor haar reactie dat die uiteindelijk meeviel. Ze had wel iets dergelijks verwacht en zag het vooral als een beetje uit de hand gelopen jongensgestoei. Wel werd ze boos toen ik was gaan zeuren over mijn vader. Zij zag haar vader bijna nooit, alsof dat zo leuk was. En Willem had helemaal geen vader meer. Ze vond dat ik het thuis goed moest gaan maken. Voordat ze de sleutel in de deur van de flat stak, sprak ze me moederlijk toe.

'Je moet het zelf doen. Ik ga niet voor je zorgen. Jij moet op je eigen benen staan.' Ze keek heel serieus, was even sprakeloos van haar eigen woorden. Met een gil van blijdschap sloeg ze haar armen om me heen. Haar ogen werden zacht en zeiden: 'Ik ben verliefd op je en ik hou van je en je bent en blijft een schat.'

Ik kijk naar de gelukzalige glimlach om Maya's mond en luister naar haar rustige ademhaling. De vogels fluiten al een tijdje en het is bijna helemaal licht in de slaapkamer. Haar moeder is het weekend weg.

Voorzichtig trek ik het laken waar we samen onderliggen over haar blote schouder. Ze kreunt zachtjes en slaat haar arm om me heen alsof ze in haar slaap zegt dat ik niet weg mag.

We hebben het gedaan. Het. Niet dat het lukte…. ze viel in slaap.

We ademen elkaars adem. We zijn vrij. Zou "het" daarom vrijen heten?

Together we live, together we love

Discography

Rolling Stones	I can't get no satisfaction (Jagger/Richards) – 1965 Under my thumb (Jagger/Richards) – 1966 Sympathy for the devil (Jagger/Richards) – 1973 Angie (Jagger/Richards) – 1973
Steppenwolf	Born to be wild (Bonfire) – 1968
Beatles	She loves you (Lennon/McCartney) – 1963 With a little help from my friends (Lennon/McCartney) – 1967
Earth & Fire	Wild and exciting (C. Koerts/G. Koerts) – 1970
The Who	My generation (Townshend) – 1965 See me, feel me - Go to the mirror! (Townshend) – 1970
George McGrae	Rock your baby (Casey/Finch) – 1974
Deep Purple	Child in time (Blackmore/Gillan/Glover/Lord/Paice) – 1972
Pink Floyd	Atom heart mother (Mason/Gilmour/Waters/Wright/Geesin) – 1970

	a) Father's Shout
	b) Breast Milky
	If (Waters) – 1970

| Ramses Shaffy | Zing, vecht, huil, bid, lach, werk en bewonder (Shaffy) – 1971 |

| Ekseption | Ekseption – 1969 |

| Dave Berry | This strange effect (R. Davies) – 1965 |

| Jane Birkin en Serge Gainsbourg | Je t'aime (Gainsbourg) – 1969 |

Golden Earring	Another 45 miles (Kooymans) – 1969
	Back home (Kooymans) – 1970
	Just a little bit of peace in my heart (Kooymans) – 1968
	I've just lost somebody (Gerritsen) – 1968
	Please go (Gerritsen/Kooymans) – 1965
	If you leave me (Kooymans/Gerritsen) – 1966
	Radar love (Kooymans/Hay) – 1973
	Together we live, together we love (Kooymans/Gerritsen) – 1967

Het concert van Golden Earring in hoofdstuk 12 heeft in werkelijkheid nooit plaatsgevonden.

163